MIS TRES SUEÑOS

"UNA HISTORIA PARA VIVIR MEJOR"

LUIS G. MEJÍA

BARKER & JULES

BARKER ❷ JULES

MIS TRES SUEÑOS

Edición: BARKER & JULES™
Diseño de Portada: BARKER & JULES™
Diseño de Interiores: | BARKER & JULES™

Primera edición - 2022
D. R. © 2022, LUIS G. MEJÍA

I.S.B.N. Paperback | 978-1-64789-958-5
I.S.B.N. Hardcover | 978-1-64789-959-2
I.S.B.N. eBook | 978-1-64789-957-8

Derechos de Autor - Número de control Library of Congress: 1-11288266803

BARKER & JULES, LLC
3776 Howard Hughes Pkwy 549, Las Vegas, NV 89169
barkerandjules.com

DEDICATORIA

Dedico esta obra a todas las personas que han sido parte de mi vida. Gracias a ellos he llegado a ser lo que soy ahora.

Si pusiera nombres faltarían líneas para agradecerles a cada uno de ustedes y hasta tengo el riesgo de olvidarme de alguno.

Solo les recuerdo que siempre podemos ser mejores que ayer y que podemos cumplir todos los sueños por más imposible que parezca.

ÍNDICE

PRÓLOGO

Conozco al autor de esta obra desde hace unos 20 años atrás, cuando la vida nos permitió encontrarnos en un estadio de fútbol, pasión favorita y mejor pasatiempo de quien les dedica esta historia.

No es de alardear de buenas obras o acciones de reconocimiento en el diario vivir, pero si es de compartir la vida, cuando se ha recibido el abrazo de un amigo que te dijo en alguna parte, sigue adelante. Esto significa ser agradecido y es lo que se busca con esta historia.

Por tanto, esta obra es un homenaje de agradecimiento a varios coautores y así plasmar en el corazón del lector, una idea de una autoconfianza y resiliencia frente a las múltiples dificultades que la vida presenta.

No se trata de convencerte querido lector de lo que debes hacer, sino pedirte que te apropies de esta obra, para que al final de tu lectura, puedas hacer una profunda reflexión del puerto que estás llevando tu vida.

Nuestro autor material de esta obra, con su lenguaje coloquial y muy sencillo en muchas ocasiones, nos ha abierto el corazón y nos invita a reflexionar. Su fin no es alardear de buenos momentos o quizá malos, intenta decirnos con propiedad un: "Sí se puede". ¿Qué podemos? Podemos encontrar el sueño más buscado de todos los días en todos los rincones del mundo. El sueño de ser felices.

Por eso nuestro autor, quiere indicarnos el camino del esfuerzo y sacrificio, pero sobre todo, el camino de la confianza en un Dios, que lo ve desde su fe. Y de un Dios, según el concepto que cada uno tenga de él. En definitiva, nos invita a ser espirituales, para conseguir discernir que el dolor, siempre se puede convertir en amor.

De ahí que para nosotros, no nos resulte difícil entrar en esta dinámica de escritura histórica que se nos presenta. Pero hay un modo de seguir. Ese modo es la constancia y perseverancia. Solo así podrán sacar sus propias conclusiones, pero a su favor.

Te podemos decir: No es una obra para sacar conclusiones de lo escrito, o de si fue mala o buena la lectura de esta historia. Buscamos que cada uno saque sus conclusiones, pero en referencia a su provecho y al mejorar su vida y su caminar diario.

No es un diario de promesas. Es un diario de lucha y perseverancia. Es un diario de resiliencia y de esfuerzo. Esto decimos porque no es una receta del camino en "busca de la felicidad". Es una obra que redacta y descubre lo profundo del ser humano a nivel espiritual y también lo profundo que puedes caer, si no sabes dirigir tu vida con honor y lealtad.

Querido lector, no enfatices lo negativo o lo que no edifica de esta obra. Enfatiza en la riqueza que tiene el caminar con la mirada al frente y con decisión. Esto tiene que ser en busca de propósitos verdaderos y en constante búsqueda de caminos que les lleven a dar pasos.

Esto tal y cuál como te dice nuestro autor. "Vivir un día a la vez".

La obra, además nos lleva a dar esos pasos lentos pero seguros. Esto tiene un propósito importante. Mirar hacia delante, para ver quién te toma de la mano y te invita a seguir, mirar atrás para ver quien empuja tu tren de la vida, mirar a los costados, para ver quienes aún te sostienen para no caer, y finalmente, mirar arriba de uno, para reconocer que ahí está el dueño y creador de la vida.

Y que todo tiene su razón de ser y que nada puede suceder sin poner nuestra confianza en este ser espiritual, llamado Dios para los creyentes, llamado con cualquier nombre para quienes tienen otro concepto de lo trascendente y desconocido.

Esta obra finalmente, es un camino de sanación del dolor y llegar a convertirlo en actos de amor. Es decir, reconocer que detrás de un gran dolor, existen muchísimos actos de bondad, que las mismas personas que nos ayudan a empujar nuestro tren de la vida, están expresando. Es así como la vida se convierte en un punto flexible, donde dolor y amor se unen y forman lo que se llama, la vida de una persona. Vive intensamente y dedica tu vida a empujar el tren de la vida de los que están a tu lado.

CAPÍTULO I

LA LLEGADA

Hace muchos, muchos años, en un país ubicado justo en la mitad del mundo, vivía una familia creyente que practicaba las enseñanzas de la iglesia católica y ponía toda su confianza en Dios eterno. Era mi familia. Fuimos una familia sencilla y humilde, pero nunca pasamos hambre ni nos faltó el vestido.

La abuela nos decía que las personas podían engañarse entre sí, pero que a Dios nadie lo podía engañar, todo lo contrario, a Dios se le debía dar cuenta de cada pensamiento, de cada acción, con honestidad. Si queríamos tener una buena vida, no podíamos dudar de esto ni un momento.

La abuela tuvo once hijos. Como era costumbre en las familias antiguas, el hombre era el que salía a trabajar y la mujer se quedaba en la casa cuidando a los hijos, haciendo las tareas domésticas. Era la mujer la que debía administrar los pocos recursos y, con la ayuda de Dios, ver que nadie muriera de hambre o de frío.

También, como en toda familia, en esta existía el sueño de superación, de salir adelante y tener un mejor futuro. Y, aunque en este país en el que vivíamos, de nombre Ecuador, no había muchas oportunidades, siempre estaba a la mano el famoso Sueño Americano, el sueño de ir a buscar la vida en los Estados Unidos.

Por otro lado, la vida religiosa seducía a muchos, debido a que en los hogares eran comunes las enseñanzas de la iglesia. No estaba claro si era por salir de casa o si por verdadera vocación, lo cierto es que en este país no faltaban aspirantes a la vida sacerdotal y religiosa, y, como veremos, mi familia no fue la excepción.

Mi mamá fue la segunda de la casa, una de las mayores. Por este hecho no tuvo la oportunidad que tuvieron los menores de ir a la escuela, más allá de la primaria. Muy temprano tuvo que quedarse trabajando, ayudando a la abuela en los quehaceres domésticos, hasta que se hizo más grande y comenzó a trabajar por fuera para ayudar con los gastos.

En aquellos tiempos, las mujeres únicamente salían de la casa materna si era para casarse, de lo contrario tenían que quedarse a vivir allí. Resulta que mi mamá conoció a un hombre del cual quedó en embarazo. El problema era que el hombre estaba casado, razón por la cual no podía formar un hogar con él. Tuvo que contar en la casa y aceptar la vergüenza. Se resignó a ser madre soltera, lo que era una deshonra. El aborto no era una opción, pues se trataba de un pecado mortal, no podía jugarse así con una vida, por lo que solo le quedó hacerse cargo de la criatura.

Para que el hijo de mi mamá no cargará con la mancha de ser un bastardo y por ende un producto del pecado, los abuelos tomaron la decisión de registrarlo como su hijo, pero con la condición de que mamá tenía que alejarse de aquel hombre, quien, por lo demás, ya tenía cuatro hijos. Así que lo llamaron Armando y le pusieron sus apellidos: Saavedra Vaca, con lo cual quedó hecho el asunto.

Pasaron algunos meses y mamá cumplió con su parte. Pero el amor es bien raro, o terco, o necio, o todas a la vez, porque muy pronto se volvió a juntar con el hombre aquel. A lo mejor por contrariar a los abuelos, o porque pensaba sinceramente que esa era la persona que Dios le había mandado, vaya uno a saber. El hecho es que, a pesar de que aquel hombre era un conocido borracho, uno como muchos de esos borrachos cuyas esposas se quedan en la casa cuidando a los hijos, a pesar de esto, al poco tiempo mamá quedó embarazada otra vez. Y como soldado avisado no muere en guerra, los abuelos le habían dicho a mamá que, si algo volvía a pasar con el borracho ese, tenía que irse de la casa. No había más opción, así eran ellos. De modo que mamá tuvo que asumir las consecuencias de sus actos y se fue.

Lo bueno fue que el hombre no la dejó sola. Aunque se quedó con su familia, rentó un cuarto para mamá y su futuro hijo, prometiéndole que no les iba a faltar nada. Lo único era que el cuarto quedaba en otro pueblo, a cien kilómetros de distancia, una pequeña "Ciudad Blanca" llamada Ibarra. Mamá dejó a su primer hijo en manos de los abuelos, que lo habían adoptado, y se fue con la esperanza de que algún día podría formar ella también un hogar estable.

Ese nuevo hijo que viajaba con mi mamá era yo. Nací en Ibarra un martes 12 de julio de 1966, en el barrio San Francisco. Mi padre fue hasta allá a registrarme y, para que nunca me olvidara de él, me puso su primer nombre: Luis Gabriel. Él se llamaba Luis Enrique, de apellido Mejía. Solo que al registrarme lo hizo dejando claro que yo era ilegítimo, que él estaba casado y que producto de esa unión tenía cuatro hijos, y que mi mamá era soltera.

Eso implicó muchos problemas en mi vida desde el punto de vista psicológico y social.

Los primeros años vivimos en un cuártico mi mamá y yo. Mi papá nos visitaba de vez en cuando, pero exclusivamente cuando estaba borracho. Claro que me daba "caricias", que en realidad eran golpes, porque cuando venía borracho yo lloraba, así que él me pegaba por todo el cuerpo dizque para que me calmara. Mi mamá, por su parte, no podía trabajar porque tenía que quedarse conmigo. Y el escaso dinero que mi papá le daba servía para muy poco, básicamente para mal alimentarnos los dos. Ella también recibía su parte de golpes, no únicamente era yo. Y así vivimos casi dos años.

¿Por qué ella seguía con él? La razón principal es que mamá guardaba en su corazón la esperanza de tener un hogar, esperanza que él alimentaba con la promesa de que iba a dejar a su esposa para estar con nosotros, de que sus hijos ya iban a crecer y los iba a poder dejar. Mamá esperaba que mi presencia hiciera que mi papá cambiara de vida y se volviera una persona responsable.

Luego de aquellos dos años en los que vivimos allí, me encontraba muy enfermo, raquítico y desnutrido. No teníamos ni para comprar lo básico: leche, pan, huevos… Un día mi padre llegó como siempre llegaba, borracho, solo que ese día fue diferente. Mamá le pidió dinero para llevarme a urgencias porque mi estado de salud era realmente malo. Él, como siempre, dijo que no tenía. Aunque sí tuviera para emborracharse y para su otra familia. Superada por la realidad y asustada por mi muerte inminente, tomó por fin la decisión que debió haber tomado mucho tiempo atrás. Hizo acopio de fuerzas y decidió huir para salvarme la vida. Regresó a la casa de los abuelos y les pidió perdón. Mi abuela, con ese corazón tan grande que tenía, nos recibió.

Llegué a la casa de mis abuelos casi muerto. Mi abuelita, que luego iba a ser mi mamá para siempre y que era una mujer de una fe grande y de una confianza completa en Dios, me cogió en sus brazos y dijo: Dios, si tú quieres, llévatelo, si no, dale la vida. Yo tenía los pómulos golpeados, mi pecho era como una plancha pues no se formó de manera ovoide, el tórax estaba hundido por tantos golpes que me dieron a temprana edad y no podía caminar porque no tenía fuerzas: no podía llorar, no podía hablar, era un pequeño saco de huesos y nada más. Como mi papá nunca nos dio el dinero suficiente para alimentarme, no pude desarrollar una buena constitución física. Por el lado de los abuelos, la situación económica tampoco era la mejor. No tenían con qué llevarme a las urgencias de un hospital. Lo único que tuve fue la confianza en Dios de mi abuelita para sentirme mejor. Y su amor, que poco a como comenzó a sanarme.

Sé que ese fue el primer milagro que recibí en mi vida. Más adelante, cuando tuve uso de razón, me di cuenta de que Dios quiso que me quedara en este mundo. No me llevó, aunque las probabilidades de vida eran mínimas. Dios obró gracias a la oración y a la fe de mi mamita, eso fue lo que hizo que viviera.

Mi madre, sabiendo que tenía que hacer algo para poder mantenernos a mi hermano y a mí, y consciente de la difícil situación económica del Ecuador, decidió cumplir el sueño americano y se fue a buscar trabajo en los Estados Unidos. Una de las motivaciones era que uno de mis tíos ya había viajado al norte. Así que, sin papeles y tratando de cruzar la frontera como ilegal, mamá asumió el peligro. No tenía el suficiente dinero para pagar un coyote, que ya desde ese entonces eran muy caros, ni tampoco para sacar la visa de turista. De modo que con el poco dinero que tenía y pidiendo prestado aquí y allá a familiares y amigos, comenzó su recorrido en bus desde Quito a Bogotá.

Allí vivía otro de mis tíos, que se había casado con una colombiana y había decidido radicarse en ese país. En esos tiempos era más fácil ir de Colombia a México. Durante unos meses en Bogotá mamá estuvo ganando algo más de dinero para seguir hacia el norte. Luego se fue a México y cruzó la frontera texana. De ahí avanzó a New York en donde la recibió el tío del que ya hablamos.

Mientras tanto en Quito, mi abuelita, que desde ese momento se volvió mi mamita, se ocupó de nosotros: mi hermano y yo. Mis dos tías menores: Jimena y Lupe, que todavía eran solteras, fueron las que de verdad nos cuidaron y protegieron en todo momento, porque, aunque mi mamita era fuerte, ya no contaba con la fuerza increíble que había tenido de joven.

CAPÍTULO II

LOS SUEÑOS

De niño solían preguntarme qué quería ser cuando fuera grande. Y yo respondía tartamudeando: So… so… soldado, me… me… médico, sa… sa… sacerdote.

Sí, quería ser las tres cosas. ¿Por qué? No sé, no tenía ninguna razón, nadie, que yo sepa, me lo había inculcado. La gente decía que era muy difícil ser las tres cosas, que una de ellas debía gustarme más. Pero yo insistía. Sin embargo, en el tiempo en que yo nací, en mi época, con mi condición, no podía ser ninguna de las tres cosas.

No podía ser soldado porque era solo huesos. Como no tuve una buena nutrición en la infancia los médicos decían que tal vez yo nunca sería normal. Caminar o correr se me dificultaban porque tenía el pecho plancha. Había que ver si más adelante mi cuerpo podría tener algún problema de corazón o de otros órganos internos, ya que no tenía el espacio suficiente para que crecieran.

Médico tampoco podía ser, porque era tartamudo. No podía hablar con la gente. Tal vez la tartamudez me venía de los golpes que me daba mi papá para que no llorara, tal vez eso hizo que mi mente de niño sintiera que no podía expresarme, que tenía que quedarme callado para siempre, diciendo solamente cosas mínimas, pequeñas, las suficientes para hacerme entender.

Sacerdote, mucho menos, porque para entrar en la vida religiosa mis padres debían estar casados por la iglesia y yo debía ser hijo legítimo. No cumplía ninguno de los requisitos.

Desde pequeño, debido a las enseñanzas de mi mamita, supe que Dios siempre estaría en mi vida. Desde esa época ya sabía cuáles iban a ser mis dos grandes amores: el primero, Dios, al que amo con el corazón, el alma y la mente, y al cual me acerqué porque mi mamita siempre me hablaba de él, me llevaba a misa, rezaba conmigo y supo mostrarme su incondicionalidad, su compañía constante y su disposición para darme todo lo que yo quería y necesitaba.

El segundo amor que tuve fue el balón de fútbol. Si no hubiera sido por el fútbol no hubiera podido sobrevivir en este mundo. Todavía no sé por qué amé tanto este deporte, sabiendo que en mi casa nadie jugaba. Mi hermano y yo estábamos rodeados de mujeres, y en ese tiempo las mujeres no jugaban al fútbol. Así que no sé por qué se convirtió en mi pasión y mi vida. Como sea, la pelota me ha traído muchos triunfos y alegrías, aunque también muchos problemas.

Estos dos amores siempre estuvieron juntos, mi mamita me ayudó a comprender que los dos eran importantes y que podían llevarse bien de la mano.

Mamita siempre decía que Dios es lo más valioso y que debíamos dedicarle el tiempo suficiente cada día. Si podía, mamita iba a misa todos los días. Pero el domingo era el día que no faltaba. Le gustaba ir temprano para que el resto del día le quedara libre para hacer sus cosas. Yo aprendí de eso, por lo que siempre fui a misa a primera hora, para quedar libre después.

Mamita también nos enseñó a rezar el rosario. Lo rezábamos en la tarde y después podíamos encender el televisor para ver algún programa.

El fútbol lo llevaba junto a Dios, porque mamita decía: primero la misa y después el fútbol. Entonces primero iba a misa y luego podía ir a jugar. Los domingos, como a las tres, le decía a la mamita: recemos el rosario, porque yo sabía que más tarde podía encender la TV para ver un partido. El equipo que seguí desde pequeño fue el Nacional, que es un equipo del Ecuador. En ese tiempo Nacional era el mejor equipo del país y todos sus jugadores jugaban también en la selección. Tal vez por eso me hice rojo cien por ciento.

Pero al mismo tiempo mamita no solo nos enseñó a amar a Dios y a jugar lo que nos gusta, también nos dejó claro que debíamos ser personas útiles para la sociedad y para el mundo. Y aunque mi hermano y yo éramos varones rodeados por mujeres, nos enseñó a hacer todo por nosotros mismos.

Nos decía que debíamos aprender a cocinar, lavar, planchar, limpiar la casa, porque si en algún momento salíamos de la casa o nos casábamos y la mujer no sabía hacer nada, ya podíamos tranquilamente cocinar y no morirnos de hambre. Y sí, mi hermano y yo aprendimos a lavar, en un tiempo que no es como el de ahora, en el que tenemos lavadoras y hasta secadoras con toda la tecnología, en ese tiempo teníamos piedras que servían para estregar y alambres para poner a secar la ropa.

Mamita decía que si queríamos ir a jugar primero teníamos que arreglar la casa y hacer los deberes que nos mandaban, para luego sí pensar en salir. Entonces, yo me levantaba temprano y hacía las tareas: limpiar el piso, rasquetear, poner cera, sacar brillo, etc. Terminaba rápido y me iba para misa de siete. Luego le pedía permiso a la mamita para ir a jugar y siempre me decía que sí. Desde que me conozco, me gusta aquello que tal vez a la mayoría no, lo más difícil o impopular. Siempre he reflexionado acerca de esto. He pensado que a lo mejor está relacionado con mi tendencia a ayudar a los demás, a escoger aquello que a otros no les gusta para librarlos de ello. Por ejemplo, cuando jugaba fútbol elegía ser el arquero. A nadie le gustaba tapar entonces siempre escogían al más gordito o al que no era bueno para que se encargara de esta posición, tal vez la más difícil de todas. Yo, en cambio, la disfrutaba. Me gustaba lanzarme a la tierra, a la piedra o al cemento, no importaba dónde jugara siempre volaba por la pelota, no importó que el partido fuera amistoso, después del momento en que poníamos las dos piedras que demarcaban la portería, yo ya estaba lanzándome y rompiendo los pantalones. Cuando llegaba a la casa, generalmente me daban una pisa.

Pero no me importaba, porque había disfrutado el juego. Debido a mi tartamudez y a mi dificultad para expresarme, trataba de ganarme el aprecio de la gente jugando cada partido como si fuera una final. No me gustaba que me hicieran goles. En mi interior sentía que estaba haciendo quedar mal al equipo y que si perdíamos iba a ser mi culpa. Por eso daba lo mejor de mí. Así, cuándo preguntaban que quién quería tapar, yo tenía el puesto asegurado. A veces, es verdad, perdíamos, pero igual al siguiente partido seguía tapando. Desde que me acuerdo nunca jugué en cancha, siempre fui arquero.

CAPÍTULO III

EL INICIO

Mi infancia caminó entre alegrías y tristezas. Sabiendo que era un niño tartamudo, delgado, indefenso, me aferré cien por ciento a Dios, porque sabía que él era el único que me podía dar todo.

Mamita me enseñó que Dios me iba a dar todo lo que yo pidiera, no en mi tiempo sino en el tiempo de él, y me decía: solo confía y cree en él.

Y yo le decía a mamita, tartamudeando: quiero ser normal. Y mamita decía: por algo ha de ser que eres así, algún día podrás ser normal.

Íbamos siempre a misa y a veces a mamita le gustaba sentarse atrás y no delante de la iglesia. Decía que es mejor sentarse atrás porque los últimos serán los primeros, así que si nos sentábamos adelante nos pondrían de últimos. Me paraba en el reclinatorio de las bancas para ver a Dios y le decía que quería ser alto, el más alto de todos, para que, así estuviera atrás, pudiera verle. Los médicos decían que por mi enfermedad tal vez no iba a crecer mucho, pero como mamita me dijo que pidiera lo que quisiera yo pedía eso, y de verdad que Dios me escuchó. Mi familia, como todas las familias ecuatorianas, era de una estatura normal, pequeña. En mi casa todos eran pequeños y dicen que mi papá también era pequeño, pero Dios me hizo grande, hoy en día mido un metro con ochenta y dos centímetros. Por eso sé que Dios siempre me ha escuchado.

Cuando comencé a ir a la escuela, le encargaron a mi hermano que me cuidara. Pero no contentas con eso, mis tías se acercaban al más grande del salón y le pedían que por favor me cuidara y me protegiera de los demás. Creo que por eso siempre me llevé bien con las más grandes de la clase. Además, estaba el fútbol que siempre ha sido el medio para hacer amigos, en especial porque daba lo mejor de mí en cada partido. Y, aunque mi tartamudez no me facilitaba las cosas, el balón atrajo muchos amigos a mi vida.

En la escuela teníamos educación física, pero yo no era muy bueno. Un día dijeron que el que estuviera en la selección de fútbol tenía un 20 en educación física. Eso me motivó, así que me aceptaron como portero y por esta razón no iba a clase ni hacía los ejercicios, solo jugaba fútbol. Aprendí que ciertas motivaciones ayudan a que demos pasos que a veces creemos que no podemos dar. Eso siempre me ha pasado en la vida.

Mirar partidos de fútbol en la televisión me ayudaba a tener una buena posición como arquero. Nunca me llevaron a una escuela de fútbol para entrenar, pero, inconscientemente, yo mismo entrenaba. Cogía una pelota de tenis que había por ahí y la lanzaba contra la pared del patio de la casa. Yo volaba por esa pequeña pelota sobre la tierra del patio, imaginando que estaba jugando fútbol. Hoy, en los entrenamientos modernos, hacen que los arqueros entrenen de esa manera, pero a mí nadie me enseñó, yo solito así lo hacía.

Claro que también destruí muchas plantas y cosas de la casa, porque también volaba en medio de la sala, poniendo los sillones como postes de la arquería para armarme partidos de fútbol imaginarios. A veces caía mal y rompía los maceteros. En esos casos mi mamita me daba una golpiza. También jugaba con figuras de soldaditos plásticos con los que hacía partidazos. Como estaba aislado por mi tartamudez, disfrutaba de jugar solo.

Cuando mamita necesitaba comprar algo: fósforos, pan, queso, o huevos, yo siempre me ofrecía para ir a la tienda. La motivación escondida que tenía era que había una cancha de fútbol en frente de la casa y siempre había torneos. Me gustaba quedarme viendo los partidos de fútbol, así que mamita tenía que salir por mí y jalarme de las orejas para que fuera a hacer rápido el mandado. Siempre que veía a dos personas jugando con una pelota mi mirada quedaba atrapada, el balón siempre me atrajo, jugara quien jugara.

Y aunque pasaba mucho tiempo solo, yo, la verdad, nunca me sentí tan solo porque sabía que Dios me acompañaba y me guiaba. Incluso, cuando participaba en campeonatos de fútbol el equipo en el que jugaba casi siempre quedaba campeón.

A los trece años mi vida comenzó a tener vacíos y tristezas porque empecé a comprender lo que yo era, a darme cuenta de mi forma diferente. Ya en el colegio, un día en que había reunión de padres de familia y mamita tuvo que ir de representante porque mis tías estaban trabajando, mis amigos, cuando la vieron entrar al aula, me preguntaron por qué había traído a mi abuelita a la reunión. Yo les dije que no era mi abuelita sino mi mamita.

Ellos insistían: pero ¿cómo va a ser tu mamá? Mira que ya está mayorcita, tiene canas. No es tu madre sino tu abuelita. Ese día me dio mucha ira y comencé a pegarles, y, tartamudeando, les decía: es mi mamita, es mi mamita... luego salí corriendo del colegio y comencé a llorar. Ese día me di cuenta de que sí, ella era mi abuelita, no mi mamita.

De pequeño siempre tuve problemas para entender algunas cosas que me decían. No hacía muchas preguntas. En mi tiempo, era difícil contestar a un mayor, alzar la voz o simplemente tener una conversación con un adulto. Uno tenía que quedarse callado y solo oír, nada más.

Cuando en la escuela me preguntaban mi nombre yo decía, tartamudeando, que me llamaba Luis Mejía. Pero en la casa me comenzaron a llamar Alejandro. Me llamaban así porque, si acaso venía mi padre a buscarme y quería maltratarme, no me iba a encontrar. Mi hermano se llamaba Armando Saavedra, y yo me convertí en Alejandro Saavedra. En casa me llamaba Alejandro y en la escuela Luis.

Me acuerdo de que cuando estaba en el último año de escuela, ya para darme el título escolar, me preguntaron que cómo se llamaba mi papá, y yo dije: Andrés Saavedra. ¿Y tu mamá? Ana Vaca. ¿Y cuál es tu nombre completo? Alejandro Saavedra, respondí. Entonces ¿de dónde sale el Luis Mejía? No sé, dije tartamudeando.

A lo mejor por mi dificultad para hablar no me hicieron más preguntas. Pero de verdad que yo no sabía, así que mejor se quedaron callados y no me preguntaron más. Entonces tu nombre no es Luis Mejía, dijeron. Tu nombre es Luis Alejandro Saavedra Vaca. Y yo dije: así ha de ser.

Cuando llevé el certificado a casa me preguntaron que por qué decía ese nombre. Pero mi familia nunca me explicó que yo no era Saavedra. Siempre llamé a mis abuelitos papito y mamita. Yo los tenía como mis verdaderos padres.

En navidad venía mi mamá de vacaciones. Pero a ella la llamábamos Imeldita, que era su nombre. Ella tampoco nos decía nunca que era nuestra madre. Solo sabíamos que nos mandaba dinero para que pudiéramos estudiar. Cuando venía nos traía ropa y juguetes, y nada más. Por eso, el día que mis compañeros comenzaron a decirme que mi mamita no era mi mamá, recién me di cuenta de que todo era verdad. Mi mamita era mi abuelita y por eso yo no era un Saavedra. Y de verdad yo quería ser un Saavedra y no un Mejía, que era como me llamaban en la escuela.

Ese día entendí que no tenía nada. Y si hasta ese momento había pensado que tenía mamita, pues tampoco la tenía porque ella no era mi madre. Es tan difícil entender, comprender y asimilar que uno no tiene nada.

Al salir corriendo y llorar me sentí vacío, solo y triste, sin saber qué hacer en la vida, confundido totalmente. Como estaba en la selección de fútbol justo ese día en la tarde teníamos la semifinal en el Colegio Intisana.

Llegué llorando al partido y el entrenador y los compañeros me preguntaron que qué me pasaba, que si estaba bien, que si me sucedía algo. Pero mi tartamudez me hacía quedarme en silencio. Les dije que no pasaba nada y no me hicieron más preguntas. Nos cambiamos, pero yo seguía triste. Y por primera vez, aun sabiendo que el fútbol era mi pasión y mi alegría, aun sabiendo que estábamos tan cerca de llegar a la final y que todos estaban felices, comprendí que ni el fútbol podía darme la felicidad. Por supuesto, no era mi día.

Entré de titular, todavía con rabia, tristeza, soledad y lágrimas en los ojos. Era todo sentimiento negativo. El partido empezó y enviaron una bola larga. El delantero vino con todo, así que salí del área con la pierna en alto, decidido a ganar la pelota. Pero en vez de eso, le metí un rodillazo en el estómago. Claro, tarjeta amarilla y tiro libre. Él mismo cobró el tiro libre. Yo volé como siempre, el balón pegó en el ángulo superior derecho, rebotó en mi cabeza y entró. Gol de ellos.

Cuando vi la pelota dentro comencé a llorar de nuevo. Sentí que ni de arquero servía. No valía para nada. Mi entrenador notó mi estado de ánimo y de inmediato hizo el cambio. Era la primera vez que me cambiaban. Salí, cogí mi mochila, y me fui. Todos me decían que me quedara y que estuviera tranquilo, que íbamos a ganar, que no pasaba nada, pero la verdad no quería ver, ni oír, ni saber de nadie.

Caminando por la occidental lo único que quería era que mi vida se acabara, que un carro viniera y me atropellara, o algo así. Creo que fue uno de los días más tristes y dolorosos que he tenido. Seguí caminando casi por la mitad de la calle y los carros me pitaban, pero no me interesaba.

No es tan fácil darse cuenta de las verdades de uno mismo, incluso en una edad adulta. Pero es peor todavía no tener a alguien a quien poder contarle por lo que uno está pasando. Y mientras iba caminando, hundido en mis pensamientos, encontré una iglesia abierta. Entré y me senté. Entre lágrimas rezaba y le preguntaba a Dios por la razón de todo esto. Después de un rato en actitud de oración me fui tranquilizando. Por algo deben ser las cosas así. Con esta idea, ya de noche, regresé a la casa. Cuando llegué le di un fuerte abrazo a mi mamita y me fui a dormir. Me costó algunos días asimilar la noticia, pero con la ayuda de Dios lo logré.

Para mí, la iglesia representó siempre el lugar donde podía conversar. Con mi mejor amigo Jesús podía hablar sin tartamudeos. Era solo cuando hablaba con otras personas que ya no podía.

CAPÍTULO IV

LA JUVENTUD

Mi mamita me llevó muchas veces al médico para ver cómo podían curarme la tartamudez. En todas las visitas me mandaban terapias: ponerme lápices en la lengua para vocalizar mejor, o piedras en la boca, o mirarme en el espejo y hablar solo. Pero nada funcionaba. Sin embargo, ser tartamudo me ayudó mucho en otros sentidos. Me convertí en un muy buen oyente, debido al silencio que guardaba para no tartamudear ante los otros. Oía muy atentamente, y cuando me preguntaban algo yo me limitaba a responder sí o no. Pero, además, me convertí en un soñador. Como no hablaba con nadie yo mismo me hablaba y me contestaba mis preguntas, era un conversador solitario. La psicología le llama a esto *daydreamer*. Yo caminaba entre sueños. De verdad disfrutaba de la vida. Al ser una persona oyente, me llevaba bien con la gente, ya que a la mayoría le gusta hablar y que alguien los escuche.

A comienzos de mi juventud me llevé muy bien con los adultos. Yo seguía creciendo rápido, y, aunque era muy delgado, mi altura hacía que pareciera mayor. Al mismo tiempo, el último año tuve que aprender a ir sin compañía a la escuela, ya que ninguno de la casa podía llevarme. Así fue como aprendí a coger los buses que necesitaba. Aprendí rápido.

Ser alto e independiente hizo que compartiera más con los mayores, con los que ya fumaban y tomaban. Por esa razón aprendí a fumar y a tomar como a los trece. Aunque nadie en mi casa sabía que lo hacía. A veces llegaba tomado y más tarde de la hora que mamita me había dado permiso, entonces ella sacaba el cabestro, que es un látigo hecho de cuero de vaca que sirve para golpear a los animales para que caminen. Mamita tenía un cabestro en la casa y cuando uno desobedecía o llegaba a una hora diferente, esperaba en la puerta y nos pegaba con todas sus fuerzas. Como yo era bien rudito, sí que me pegaron muchas veces para que me pudiera corregir y seguir el buen camino.

La segunda crisis que me dio bien duro fue como a los quince, cuando ya mis amigos consiguieron enamoradas y amigas, y yo, por mi tartamudez, no tenía a nadie. Me acuerdo que íbamos a encontrarnos con amigas en el Colegio Idrobo. Cuando estábamos todos en grupo conversaban y reían, pero, claro, yo solo escuchaba y los acompañaba. Luego, al despedirnos, una chica y yo cogíamos el mismo bus, y nos íbamos juntos. Ella quería hacerme conversación, pero yo nada más respondía sí o no. Mientras tanto, en mi mente, me debatía entre lo que quería decirle, entre sí esto era cursi o ya se lo habían dicho. Manipulaba en mi mente la conversación hasta que al final me bajaba y me prometía que la próxima vez sí le hablaría. Así pasó el año. Hasta que el último día de clases me atreví a declararme. Tartamudeando le pregunté si quería ser mi enamorada. Ella me miró y me dijo que lo iba a pensar. Hasta el momento todavía no me ha dado la respuesta.

Desde aquella época empecé a sentirme un patito feo. Nadie que no fuera de mi familia me quería. Tuve ideas suicidas, no puedo negarlo, pero una vez más, al acercarme a la iglesia, entendí que había una esperanza, que en algún momento de mi vida Dios me iba a curar y a sanar.

Los años seguían su curso entre la tartamudez, el fútbol y la iglesia. Pero otra cosa más, el sentirme patito feo no era exclusivamente por mis problemas de habla, en mis manos tenía muchas verrugas. Algunos me decían que era porque era portero, sin embargo, ninguno de los porteros que conocía tenían verrugas. Otros decían que las verrugas les salen a los avaros, así que trataba de compartirlo todo, así como me había enseñado mamita, pero igual me seguían saliendo.

Gastamos mucho dinero en médicos y curaciones. Me daban pomadas, líquidos, ácidos que hasta me quemaban las manos, yo mismo me las cortaba con un cuchillo y me salía sangre y me dolía, pero las verrugas seguían saliendo. Había algunas personas que se daban cuenta de mis verrugas cuando íbamos a darnos la mano, e inmediatamente la retiraban pensando que podía ser una enfermedad contagiosa.

A los dieciocho años y después de haber terminado el colegio, tenía algunos caminos que podía escoger para comenzar a cumplir mis sueños, aunque en el fondo creía que ninguno de mis sueños se iba a hacer realidad.

Al irse a los Estados Unidos mamá me invitó. Así, a los dieciocho, ya tenía papeles de residencia americanos y podía irme a vivir con ella.

Entonces tenía que decidir entre:

El sueño de ser sacerdote. A los doce años mamita me había dado una buena noticia, había oído en la televisión que los hijos ilegítimos ya no tenían problema para entrar al seminario y ordenarse como curas. En esa época yo no entendía qué quería decir hijo ilegítimo, ni nada de requisitos, pero ya después comprendí. Entonces fui a conversar con el sacerdote de mi parroquia y con todo y mi tartamudeo le dije que quería entrar al seminario mayor. El padre me conocía desde que era pequeño, sin embargo, a pesar de que sabía que yo era una buena persona, le parecía que era muy frágil. Yo pensaba que bastaba con ser bueno, pero para él mi fragilidad y mi inseguridad, y el no aceptarme a mí mismo, me iba a traer muchos problemas. Incluso, podría ser que todo ello me llevara a renunciar y a salir del seminario para siempre. Me dijo que mejor esperara mi momento, que me fuera para los Estados Unidos y que veríamos. ¿Y si me enamoro?, pregunté. No tengas miedo de eso, me dijo, porque si Dios te quiere llamar, no importa dónde ni con quién estés, no dejará de llamarte. Por estas razones decidí no entrar al seminario, con lo que pensé que ese sueño se cerraba para siempre.

El sueño de ser militar. Tenía una buena opción, ya que en mi tiempo era obligatorio el Servicio Militar, o la conscripción, como se le llamaba. Consistía en que uno iba a servir a la patria por un año. El problema era que durante ese tiempo a los reclutas no paraban de darles palo, y la verdad es que no me gusta que me den palo. Por eso, y por mi condición médica, decidí no entrar a la vida militar. De ese modo mi segundo sueño se cancelaba para siempre.

El sueño de ser médico. Tuve la posibilidad de entrar a medicina, pero mi tartamudez me hizo renunciar. ¿Cómo iba a atender a las personas que estaban sufriendo, si en mi día a día no podía hablar con nadie?

El sueño del fútbol. Quería ser futbolista profesional, el fútbol era mi pasión desde siempre. Estuve en la selección de fútbol del colegio y con mi hermano estuvimos en las inferiores del club Politécnica, que era un equipo de segunda categoría que jugaba con equipos de primera A y B en las inferiores. Allí tuve la oportunidad de que me vieran jugar y de probarme como arquero, pero mi mamita insistió en que era mejor que me fuera para Estados Unidos. Decía que allá también podía jugar fútbol, y que, si Dios quería, iba a jugar como profesional. Así que le hice caso.

Con este panorama, tenía que actuar rápido, ya que, si uno no entraba en la conscripción, automáticamente quedaba remiso y eso significaba que por un tiempo uno no podía estudiar, no podía salir del país y tenía que esconderse para que cuando los militares hicieran batidas para buscar a los jóvenes que estaban en las calles ociosos para llevárselos al servicio militar, no cayera yo también. Así que, justo el día que cumplí los dieciocho años, que era el límite para salir del país, me fui para los Estados Unidos.

Pero, antes de irme, fui a conversar con el Señor de la iglesia. Me senté solo, donde siempre lo hacía, y le dije: Señor, ya que no puedo cumplir con ninguno de los sueños que tengo, y ahora que debo irme para el extranjero, quiero que me cumplas los siguientes deseos:

Quiero tener dinero, ser famoso y conocer el mundo entero. Y, luego de que me des todo, voy a seguirte.

Sé que en algún momento me vas a curar de mi tartamudez, pero por ahora quiero que me cures de las verrugas que tengo en las manos, para que la gente no me vea como un monstruo. Sé que soy un patito feo, pero por lo menos quiero que me vean como alguien medio normal al llegar a los Estados Unidos.

Luego de estar un tiempo en la iglesia salí, tranquilo y en paz, porque sabía que Dios me oía y me iba a conceder el primer gran milagro.

CAPÍTULO V

PRIMER MILAGRO

Mamita me enseñó a amar a Dios orando en todo momento: en la casa, en la iglesia y, después, en el catecismo. Comencé a ir al catecismo cuando tenía ocho años y todavía no había sido bautizado. Querían que mi tío que vivía en España viniera y fuera mi padrino. Así pasaron siete años, hasta que, cuando tenía quince, me bauticé, hice la primera comunión y me confirmé al mismo tiempo. El Cardenal Pablo Muñoz Vega, que ya es siervo de Dios, fue el que ofició la ceremonia. Me acuerdo que se acercó y preguntó: ¿quién es el de los sacramentos? Soy yo, le respondí. A lo cual él dijo: ¿Seguro? ¿O tú eres el padrino?

Los años del catecismo me ayudaron a entender mejor la presencia de Dios y quién es él realmente. Luego de haber realizado los sacramentos, me involucré en los grupos juveniles y también de catequista, hasta que viajé a los Estados Unidos.

Mamita nos motivaba a leer la biblia y decía que en ella podíamos encontrar todo lo que necesitáramos y las respuestas a todas las preguntas que tuviéramos. Por eso la Biblia ha sido mi guía a lo largo de la historia.

El día después al día que le pedí a Dios que me curara, tomé la Biblia y empecé a leer. Estaba en el libro del Éxodo, hasta que llegué al capítulo 4:1-8:

"Pero Moisés respondió: Y si se niegan a creerme, y en lugar de hacerme caso, me dicen: ¿No es cierto que el Señor se te ha aparecido?. Entonces el Señor le preguntó: ¿Qué tienes en la mano? Un bastón, respondió Moisés. Arrójalo al suelo, le ordenó el Señor. Y cuando lo arrojó al suelo, el bastón se convirtió en una serpiente. Moisés retrocedió atemorizado, pero el Señor le volvió a decir: Extiende tu mano y agárrala por la cola. Así lo hizo, y cuando la tuvo en su mano, se transformó nuevamente en un bastón. Así deberás proceder, añadió el Señor, para que crean que el Señor, el Dios de tus padres, el Dios de Abraham, el Dios de Isaac y el Dios de Jacob, se te ha aparecido.

Después el Señor siguió diciéndole: Mete tu mano en el pecho. Él puso su mano en el pecho; y al sacarla, estaba cubierta de lepra, blanca como la nieve. En seguida el Señor le ordenó: Vuelve a poner tu mano en el pecho. Así lo hizo Moisés; y cuando la retiró, ya había recuperado nuevamente su color natural."

Cuando leí esta parte de verdad, mi corazón comenzó a sentir tanta alegría y felicidad que, de repente, comenzó a acelerarse más que nunca. Una vez más sentía y sabía que Dios iba a curar las verrugas de mi mano. Si Dios pudo hacer ese milagro con la mano de Moisés, estaba seguro y convencido de que también me iba a curar, así que seguí leyendo con más atención que antes.

Llegué al capítulo 4:10-12:

"Moisés dijo al Señor: Perdóname, Señor, pero yo nunca he sido una persona elocuente: ni antes, ni a partir del momento en que tú me hablaste. Yo soy torpe para hablar y me expreso con dificultad. El Señor le respondió: ¿Quién dio al hombre una boca? ¿Y quién hace al hombre mudo o sordo, capaz de ver o ciego? ¿No soy yo, el Señor? Ahora ve: yo te asistiré siempre que hables y te indicaré lo que debes decir."

Me dio mucha alegría saber que Moisés era muy parecido a mí, tartamudo. No se imaginan la alegría que sentí en mi corazón al saber que Dios también me podía curar de mi tartamudez.

Seguí leyendo la vida de Moisés y llegué al capítulo 10, la octava plaga:

"El Señor dijo a Moisés: Extiende tu mano sobre el territorio de Egipto, para que las langostas invadan el país y devoren toda la vegetación que dejó el granizo. Moisés extendió su bastón sobre el territorio de Egipto, y el Señor envió sobre el país el viento del este, que sopló todo aquel día y toda la noche. Cuando llegó la mañana, el viento ya había traído las langostas. Las langostas invadieron todo el país y se abatieron sobre el territorio de Egipto en una cantidad tal, que nunca se había visto una invasión semejante, y nunca más volvería a verse. Cubrieron la superficie de todo el país, de manera que este quedó a oscuras; devoraron toda la vegetación y todos los frutos de los árboles que se habían salvado del granizo; y en todo el territorio de Egipto no quedó ni siquiera una brizna de verdor en los árboles y en las plantas del campo."

En verdad, de todas las plagas, esta es la que más llamó mi atención. Las langostas llegaron y destruyeron todo. Entonces, en mi interior comencé a pensar: ¿si las langostas pudieron destruir todo, también pueden destruir mis verrugas? Pero, ¿cómo conseguir langostas en Quito, si las únicas que venden son caras y demasiado grandes, y además son distintas a las langostas de Egipto? Y luego me entró la idea de conseguir saltamontes, que se asemejaban en algo.

Cuando llovía, asomaban los saltamontes por todas partes, no era difícil encontrarlos, en donde había hierba ahí asomaban. Así que salí al patio que había en frente de la casa y ahí aparecieron.

Era una tarde lluviosa y fría, cuando la gente casi no salía. Yo salí a mirar, ya que al frente teníamos un patio con mucha hierba verde y como me esperaba, ahí aparecieron unos saltamontes. Era tanta la vivacidad de ellos que se les veía saltando de un lado a otro. Con detenimiento y asombro, detuve la mirada y me di cuenta de que eran tan hermosos, con su color verde radiante, sus antenitas muy levantadas, pero a la vez eran muy pequeños que no era para nada fácil de atraparlos.

Cogí algunos, me los puse en las verrugas y esperé a ver qué pasaba. Sentí como que querían comer. Los pasé por todas mis manos, por todas las verrugas que tenía y después de un tiempo me di cuenta de que no pasaba nada, mis manos seguían igual de verrugosas.

Una nueva desilusión en mi vida. La verdad no fue mucho, porque ya había intentado de todo. Es más, fue lo contrario, me sentí un poco orgulloso al saber que no me rendía y seguía tratando de curarme yo mismo con cosas diferentes.

Me fui a dormir como siempre: tranquilo y en paz. Lo primero que hice al día siguiente fue ver mis manos. Algo había pasado. Ya no había ninguna verruga, todas habían desaparecido. La verdad no sé qué pasó esa noche, no sé si realmente los saltamontes tienen poder. Lo que sí es cierto, estoy cien por ciento seguro, es que Dios me hizo el milagro, porque él es grande, poderoso y eterno, para él nada es imposible.

Los milagros existen y Dios sabe cómo hacerlos. Ese día me sentí muy feliz. Fuimos con mamita a la iglesia y le dimos las gracias. Después de tantos años de gastar y gastar dinero, pude curarme de un día para otro. Todo esto era una señal, Dios quería que me fuera para donde mi mamá, y así lo hice.

CAPÍTULO VI

MI PRIMER VIAJE

Las primeras experiencias siempre son inolvidables, porque traen esos dos sentimientos de alegría y de tristeza, de que quieres y no quieres. Conmigo sucedía eso, porque tenía la ilusión de viajar, subirme en un avión, conocer países, pero también el miedo de saber que iba a estar solo, que al sentirme patito feo no iba a poder sobrevivir en ese mundo, que tenía que aprender otra lengua y tantas cosas más que venían a mi cabeza, pero la decisión estaba tomada.

Llegó el día del gran viaje, mi familia me acompañó al aeropuerto y sabíamos que, aunque no lo expresábamos, había dolor en nosotros. Yo, días antes, ya había arreglado la maleta con la ilusión del viaje. Aunque quería llevar mis guantes, balones y ropa de arquero, no me dejaron porque decían que en Estados Unidos había mejores cosas, así que no lleve nada.

Ese día le pedí a Dios que sucediera algún milagro para no irme. No sé, que la llanta estuviera desinflada, que el piloto no llegara, que pasara algo para que yo no me fuera. Cuando me despedí de todos, las lágrimas no paraban de salirme. Mamita me enseñó que nunca debía mostrar debilidad ante los demás, que, si un día tenía que llorar, procurara que nadie me viera, pero esta vez no pude. Pasé inmigración llorando. Me preguntaron qué me pasaba, pero con mi tartamudez no pude expresar el dolor y la tristeza que sentía.

Cuando subí al avión todavía estaba esperando el milagro que hiciera que no pudiera viajar. Me dormí para que el viaje fuera más corto. Cuando me desperté oí que el piloto decía: bienvenidos a los Estados Unidos.

Ese día, en mi interior, le dije sí a Dios. Él me llevó lejos de casa y yo no hice nada para quedarme a cumplir mis sueños. Sin darnos cuenta, el Señor tiene planeada toda una vida para nosotros.

No fue fácil adaptarme a un mundo sin las tradiciones que mamita me enseñó. Nunca había vivido con mi verdadera madre, a la que siempre había llamado Imeldita. Jamás había salido de la casa, ni siquiera a dormir en otro lugar. Mis tías me protegían y mi hermano y mis amigos me aceptaban tal como yo era.

Llegué un domingo e Imeldita me dijo que fuéramos al templo. Para mí era una obligación ir los domingos a misa, así que me alisté y fuimos. Cuando llegamos comenzaron a cantar, a hacer alabanzas, prédicas y luego las personas comenzaron a desmayarse una a una. Yo en mi interior decía: bueno, me imagino que aquí en el primer mundo así son las celebraciones. Como nunca había salido de Ecuador y tampoco existía internet para investigar... Luego de un buen tiempo de oración, los que estaban desmayados se pararon, y de verdad me dio hasta miedo. Me pregunté por qué a mí no me pasaba nada, tal vez había algo malo conmigo. Luego salimos y le dije a Imeldita que algo había faltado. ¿Qué faltó?, me preguntó ella. La comunión, le dije. Lo que pasa es que esta es una iglesia pentecostal, me explicó, pero todas son iguales.

Cuando uno tiene dificultades para hablar es desesperante querer expresar algo, dialogar, defender, decir que no es así, y no poder. Esa vez me quedé callado, como siempre, pero seguí acompañándola. Claro que, en la tarde, le decía que me iba a caminar, pero no era cierto porque me iba a misa, yo sabía que necesitaba algo más, el complemento de la oración. Cuando llegaba, Imeldita me preguntaba a dónde había ido. Yo no decía nada, aunque ella sabía que me iba a misa. Pero si ya estuvimos toda la mañana en el templo, decía. Era cierto, pero ir a mi iglesia era algo que realmente necesitaba.

CAPÍTULO VII

MIS INICIOS

Mi primer trabajo fue en una gasolinera, en el turno de la noche. Fue una experiencia muy bonita porque aprendí cosas buenas y malas. Una madrugada, otro compañero que trabaja ahí me preguntó si tenía frío. Le dije que sí, entonces me dio un tabaquito y me dijo que con eso se me quitaba. Yo no sabía qué era. Luego me dijo que era marihuana, y así comencé a usar droga.

Por otro lado, este trabajo era bueno para mí, ya que mamita siempre me enseñó a ser servicial y amable. Esto me ayudó a ganar propinas en la gasolinera, ya que la gente me daba dinero extra por ponerles gasolina, limpiarles los vidrios, echarles aceite y tantas otras cosas que tuve que aprender en ese tiempo y que me ayudaron mucho en la vida, sobre todo a seguir siendo lo que era.

En la mañana me iba a la escuela a aprender inglés y en la tarde trabajaba. Los primeros días fueron muy duros, porque cuando me presentaba y me preguntaban de dónde era, yo decía, tartamudeando, que de Ecuador. Entonces se burlaban de mí, se reían, y decían que no era verdad, que yo no era de Quito, de la capital como todos los ecuatorianos dicen cuando llegan a Estados Unidos, sino que era del Oriente, de una tribu indígena y que no sabía hablar español. Dentro de mí sentía ira y desesperación. Quería decirles que no era verdad, que yo no hablaba ninguna lengua indígena y que sabía hablar muy bien el español, pero no sabía expresarme. Sin embargo, de una u otra manera estaba aprendiendo inglés. Y tal vez el poco inglés que sabía se me entendía más que el español que dominaba.

Dios seguía siendo mi mejor amigo y todo se lo contaba. Me sentaba en la iglesia a conversar con él y le decía: Señor, tú sabes que todos tienen enamorada y yo nunca he tenido. A la única que me pude declarar dijo que lo iba a pensar y todavía no ha dado respuesta. Señor, quiero que me des una enamorada, tú sabrás cómo lo haces… Como siempre he confiado en Dios, creo que sé cuándo es el momento de pedirle cosas, y la verdad es que ha funcionado.

Ya tenía un trabajo y estaba estudiando inglés. Me acuerdo como si hubiera sido hoy: era un sábado y tenía clases por la mañana. Siempre nos despedíamos con los compañeros con un apretón de manos. Pero ese día fue diferente y especial. Cuando ya nos estábamos yendo, una de las chicas se acercó a mí y se despidió dándome un beso en la boca. Luego se fue sin decir nada. Quise reaccionar y decirle algo, pero como ya saben, no pude, solo la vi darse vuelta y salir. Fue el día más fantástico de mi vida, era lo que había querido por muchos años, darle un beso a una chica en la boca.

Tal vez para los que nacimos con deficiencias y nos sentimos inferiores a los demás, estos momentos, que para muchos pueden no ser tan significativos, son fechas estelares que se quedan grabadas para siempre. El beso duró unos segundos, pero a mí me parecieron horas. Salí caminando hacia mi casa, y durante el trayecto quería gritar al mundo lo que sentía mi corazón, pero claro, era tartamudo. Aun así, parecía que estaba caminando entre nubes, todo era lindo y maravilloso. Aunque ese día caminé por muchas horas el tiempo se detuvo dentro de mí. Le daba gracias a Dios desde el centro de mi corazón por ese milagro. No sabía qué significaba ese beso. Para mí era todo, pero ¿para ella? En ese tiempo no teníamos celular para llamar, o tomar fotos, o hacer videos, lo único que teníamos era nuestra mente para guardar esos momentos hermosos de la vida.

El domingo fue un día largo. Deseaba que ya fuera lunes para encontrarme con ella y preguntarle qué había significado ese beso. Llegó el lunes y me hicieron varias veces el comentario de que me notaban raro. Y claro, cómo no iba a estarlo, me sentía soñando y enamorado de aquella chica. La clase terminó y una vez más llegó la despedida. Y, qué sorpresa, una vez más me dio un beso en la boca. De beso en beso nos hicimos enamorados, hasta un sábado en el que por fin pudimos salir juntos. Terminadas las clases, todos salían rápido a sus casas, a hacer sus deberes y a descansar, porque al otro día temprano tocaba trabajar. Y, sin embargo, nada más quedaba el sábado después de clases para poder salir a conversar.

Para mí ella era todo. Solo que, cuando le pedí a Dios que me diera una enamorada, no le hice ninguna especificación, así que eso fue lo que me dio. Por eso, cuando los compañeros se enteraron de que estábamos juntos, dijeron que ella no era para mí. Pero yo insistía y les decía que no sabían lo mucho que la quería. Yo tenía diecinueve años, era un jovencito queriendo conocer el mundo, mientras ella tenía treinta y cinco, quería divorciarse y tenía dos hijos, una niña de doce y un niño de diez. Sin embargo, para mí todo estaba bien. Salíamos juntos, con los hijos de ella, y hasta empezaron a llamarme papá. No sé, siempre me he llevado bien con los niños, se acercan a mí y me quieren.

Imeldita supo que estaba con ella. Me dijo que no me había traído a los Estados Unidos para que me casara con una vieja. Esto, y lo de mis escapadas a la iglesia, se volvían peleas con ella.

Dios me ha cuidado mucho para que no me pase nada. Por eso siempre estoy agradecido con él. Me ha protegido tanto porque he sido más bien rudito con la vida y tengo una tendencia a experimentarlo todo. En Ecuador tenía a mi mamita y su cabestro que me hacían entender las cosas. Pero en Estados Unidos, exclusivamente tenía a Dios para cuidarme.

Era el cumpleaños de ella y organizó una fiesta con toda su familia. Por primera vez me iba a presentar. El exesposo también iba a estar allí. Le dije a Dios que, aunque tenía un poco de miedo, confiaba en que él me indicara si tenía que irme o si tenía que quedarme. La verdad, era que no sabía en lo que me estaba metiendo. Ya estaba listo para irme cuando me comenzó a salir sangre de la nariz. No era la primera vez que me pasaba. De pequeño también me habían llevado al médico para ver por qué era que me salía sangre. Pero nunca me dieron una solución. Después de un rato de fluir, la sangre se estancaba, yo ya estaba acostumbrado a eso.

Me acosté, me puse un poco de agua en la cabeza y esperé a que pasara. Solo que ese día la sangre no paraba, seguía saliendo más y más. Esta vez, algo estaba sucediendo dentro de mí. No miento, casi una hora salió sangre por mi nariz. Fue tanta que hasta tragué y empecé a vomitarla. Nunca me había pasado algo tan raro, y nunca después volvió a pasarme. Me acuerdo de que fui al baño a vomitar y me desmayé. Imeldita, que estaba en la casa, llamó de inmediato una ambulancia. Ya de eso no tengo memoria. Cuando desperté estaba en el hospital. Pensaron que un órgano interno había colapsado. Me hicieron exámenes y radiografías, hasta que comprobaron que no era nada grave.

Esa fue la razón de por qué no fui a la fiesta. Mi enamorada se comunicó con Imeldita, y al día siguiente fue a verme. Le pedí disculpas por no haber ido. Me dijo que había sido mejor así, porque el exesposo había llegado borracho y buscándome para matarme. Dónde estaría en este momento si Dios no supiera cómo hacer sus cosas.

CAPÍTULO VIII

NADA ES IMPOSIBLE PARA DIOS

Siempre le he dado mucho tiempo a Dios. En la iglesia dialogaba con él y en esa conversación lo sentía muy cercano. Le decía: Señor, tú me dijiste que iba a conocer el mundo, pero realmente lo único que conozco es New York y New Jersey, y con el trabajo que tengo no hay dinero suficiente para ir mucho más allá.

Un día salí a trabajar temprano. En ese tiempo trabajaba en una pastelería de la que salía al medio día. Fui caminando por el mismo camino de siempre, pero ese día fue especial para mí. De pronto, como en las películas, sentí que una luz me iluminaba para entrar a ese lugar. Era una oficina del *Army*. En la fachada había un letrero que decía: *"Be all you can be, enjoy in the U.S. Army"*.

No sé qué fuerza me hizo parar allí. Sentí que alguien me empujaba a entrar. A veces, cuanto más pensamos, más nos equivocamos. Nos vienen dudas e incertidumbres. Y otras veces, cuando pedimos consejo a otras personas, nos alejamos de nuestros sueños. Estoy seguro de que si hubiera comenzado a pensar no hubiera entrado, me hubiera sentido inferior, o habría pedido consejo a mi familia o a los pocos amigos que tenía. Así que me encomendé a Dios, que siempre me ha apoyado y me ha dicho que sí puedo.

Ya en la oficina un instructor me preguntó si tenía papeles. Y por supuesto que tenía, desde que llegué a los Estados Unidos tuve residencia. Eso hacía que muchas puertas se abrieran. Luego me preguntó si había terminado el *High School,* que así llaman aquí la secundaria, y dije que sí. Todo esto que les cuento lo hablábamos en inglés, pero como las preguntas eran cortas no tuve ningún problema en responder. Después dijo que tenía que hacer unos exámenes. ¿Cuáles?, pregunté yo. Intelectuales, psicológicos y físicos, dijo. ¿Cuándo quieres venir?, preguntó. Yo sabía que ese era el momento, así que dije: ahora. No hay problema, contestó el instructor, ¿está seguro? Dije que sí. Vi que salieron algunos gringos para hacer el examen, y no habían pasado. Me sentí un poco atemorizado, pero en mí había una fuerza interior que me movía.

Le pregunté al instructor qué tipo de examen intelectual tenía que hacer. Dijo: es por escrito, nada más. Me dio una tranquilidad y una confianza increíble. Ya se imaginarán que he tenido muchos problemas con los exámenes orales. En el colegio, mis calificaciones nunca fueron excelentes. No porque no pudiera aprender porque no sabía las respuestas. Dominaba todos los temas, pero cuando llegaban los exámenes orales… Parado enfrente, miraba a todos los compañeros, angustiado por mi tartamudez, terminaba por decir que no sabía. El profesor me ponía cero y me decía que estudiara para el día siguiente. Yo me esforzaba toda la noche, pero ya sabía cuál iba a ser el resultado. El profesor iba a decir: Mejía, pase al tablero. Y una vez más iba a mirar a los compañeros, iba a temer pasar una vergüenza, e iba a contestar de nuevo: no sé. Te voy a poner doble cero, iba a decir el profesor, uno porque no sabes y otro por hacerme perder el tiempo.

Los médicos decían que para superar mi tartamudez tenía que enfrentar mis temores y lanzarme a hablar. Recuerdo que hubo un concurso del libro leído, que consistía en que tenías que exponer un libro que hubieras leído. Levanté la mano y dije que yo lo haría. Todos me miraron raro. Nunca olvidaré que el libro era "Comanda", de Juan León Mera. Me sugirieron que escribiera en una hoja lo que iba a decir, que leía y no pasaba nada. De verdad que tuve el apoyo de todos para ese día. Así que me preparé muy bien. Tenía todo listo para hacer una excelente exposición.

Era en el coliseo del colegio. Todos estaban ahí. Los expositores pasaban de uno en uno. De repente dijeron: Mejía, te toca. Y pasé. Tenía mi carpeta con el resumen, me subí al ambón, la abrí, miré a todos, otra vez miré mi resumen, alce los ojos y los volví a mirar, y entonces supe que no era capaz, que me había equivocado, que había cometido el peor error de mi vida. Cogí mi carpeta y salí corriendo del coliseo. Lloré mucho por mi incapacidad. La verdad es que no es tan fácil entender ciertas cosas. A veces las dificultades te pueden motivar, pero hay momentos en que humanamente no puedes. Eso era lo que me pasaba a mí.

Así que cuando el instructor me dijo que eran solo exámenes escritos, me puse muy feliz y en mi interior me di cuenta de que sí podía. Los exámenes eran todos en inglés y con tiempo. Con setenta se pasaba y ciento treinta era lo máximo.

Entré al aula y comenzó el examen, que era de algunas materias.

Terminé el examen justo a tiempo, se lo di al instructor, y él lo revisó enseguida. Me miró y movió la cabeza. En mi interior me decía que, si los gringos que habían salido antes no habían podido, menos yo. Pero al menos había intentado, me prepararía mejor y vendría para pasar al menos con lo mínimo. Luego de un tiempo de incertidumbre el instructor me miró y dijo: ¿Sabe una cosa? Estaba convencido de que me iba a decir que no había pasado. Pero, todo lo contrario, dijo: aprobado. ¿Está seguro?, pregunté, incrédulo. Claro sí, dijo, con más de cien.

No me lo creía. Cómo era que este tartamudo, del cual decían que no sabía nada, que parecía bobito, había resultado tan inteligente. Era por algo muy simple. Mientras los demás solo daban una lectura a sus tareas y ya con eso sabían, yo tenía que estudiar el doble, no porque no supiera, sino porque sentía que no sabía. Y me esforzaba más y más. Creo que fue eso lo que me hizo saber bastante. Al no poder hablar, sentía que no sabía, pero a lo largo del tiempo terminé sabiendo mucho.

Luego de que me dijo que había pasado la prueba y que mi *score* era alto, me puso a escoger una especialidad. Yo no entendía nada de eso, y tampoco tenía tiempo para investigar o preguntar de qué se trataba cada carrera y cuál era mejor para mí. Me hubiera equivocado, de esa forma. Entonces, como sabía que estaba guiado por el Señor, le dije que me mostrara cuáles eran las especialidades disponibles.

Me enseñó las carreras más fáciles, debido a que tenía un buen *score*. Se trataba de trabajos de oficina, entrega de uniformes, y demás carreras que tiene el ejército. Pero con ninguna de ellas sentí nada en mi corazón. El instructor siguió pasando el folleto hasta que llegó al final. Mira, dijo, esta es la más difícil, la que a ninguno le gusta. Y señaló un militar con un rifle, avanzando arrastrado por la tierra. En ese momento sentí una alegría inmensa y le dije: Eso es lo que me gusta.

Me miró como un bicho raro y me dijo: pero si eres inteligente y tu *score* es alto, ¿por qué quieres escoger eso que es lo más difícil, la infantería? Siempre jugué fútbol y fui arquero, dije. Disfruto volar de un lado a otro, así que cuando miré a este militar tirado en la tierra, sentí que eso era lo que me gustaba.

Siendo así, dijo, serás un infante. Sabes, esa es la única carrera en la que puedes conocer el mundo, puntualizó. ¿En serio?, dije. Sí, respondió, porque la infantería tiene bases en todas partes, así que uno viaja mucho.

Fui elegido para ir a *Schofield Barracks* en Oahu, Hawái por los próximos tres años, que fue el tiempo por el que firmé el contrato. De verdad, hay gente que sueña con ir a Hawái vivir allí, o pasar unas vacaciones. Yo, de repente, iba a vivir tres años allí, y, luego, a conocer el mundo. Mientras tanto, en mi interior, le daba gracias a Dios porque todo lo que le había pedido me lo había dado.

De verdad infantería era la única especialidad que tenía. Porque en infantería no se podía hablar, todo era en silencio y se tenía que caminar bastante y estar solo, y mi tartamudez me ayudaba mucho, porque cuando alguien me quería hacer conversar yo hacía silencio y entendían. Esa debilidad me hizo fuerte. Si hubiera escogido cualquier otra especialidad me hubiera ido mal, porque tenía que hablar, y con mi tartamudez no hubiera funcionado. Pero Dios sabe cómo hacer las cosas y así pude cumplir ese sueño que tenía de pequeño de ser militar. Y, aunque pensé que al no entrar en la conscripción no iba a ser nunca militar, Dios me estaba allanando el camino no para ser militar de Ecuador, y no por desacreditar al país, sino para ser militar del ejército más poderoso de la tierra, que es el de los Estados Unidos. Si alguien me hubiera dicho cuando salí de mi país que iba a ingresar al *U. S. Army* e iba a ser un 11B *infantry*, no hubiera creído y hasta me hubiera paniqueado. Es mejor no saber qué le deparará a uno el futuro, así se disfruta mejor.

CAPÍTULO IX

LA VIDA MILITAR

Muchas veces el miedo impide que cumplamos nuestros sueños. Creemos que no valemos nada, que no somos capaces, que no lo merecemos. Sin embargo, una y otra vez he comprobado que atreverse a luchar en la vida, que pensar menos y actuar más confiado en Dios da muy buenos resultados. El tiempo que pasé viviendo con mi familia de Ecuador fue una experiencia inolvidable, no porque todo fuera color de rosa, sino todo lo contrario, porque comprendí que las dificultades humanas están a la base de los aprendizajes que vas a necesitar en la vida.

Uno se pregunta cómo es que un tartamudo, un patito feo, logró entrar al *U. S. Army* y sobrevivir. En 1986, aparte de mi dificultad general para hablar, tenía un mal inglés. Entonces, acudí a una escuela del *Army* para puertorriqueños que querían alistarse en el ejército, pero que no sabían el idioma. Aprendían inglés y luego continuaban con su formación militar. En mi caso, tenía un tiempo máximo de seis meses. Luego de ese tiempo tenía que presentar unos exámenes, si no los pasaba me devolverían para la casa.

Fue en *"Lackland Air force, base"* San Antonio-Texas, una base de la Fuerza Aérea Norteamericana, donde estaba la escuela de idiomas y donde debía comenzar mis estudios de inglés.

Tenía las instalaciones militares, con habitaciones muy grandes. Un lado era para mujeres y otro para varones. Eran una especie de naves muy alargadas, con camas de dos pisos y todas juntas.

Es ese lugar, no solo descansábamos, sino también recibíamos la formación militar.

Allí ya usábamos uniforme y hacíamos los ejercicios normales del ejército. Lo único era que las horas de trabajo las pasábamos estudiando. Fuera de los puertorriqueños había un francés, un coreano, un peruano y yo. Me pude acoplar con facilidad, ya que todas las labores diarias que tenía que hacer: tender la cama, arreglar el cuarto, planchar el uniforme, sacar brillo a las botas, barrer, fregar, todo eso, ya mi mamita me lo había enseñado en casa. Ella siempre decía: tienen que aprender a hacer todas las labores del hogar, porque si les toca una mujer que no sepa hacer nada o si van a vivir solos, no se van a morir de hambre. Y aunque muchas veces me enojé porque prefería ir a jugar fútbol, fue en la vida militar en donde agradecí la formación de esos años.

Por eso, para mí fue menos traumático hacer todas esas tareas que para los demás que no sabían hacer nada. A algunos les costó mucho aprender. Los seis meses en la escuela me ayudaron mucho en la parte física y, aunque mi inglés no era perfecto y mi tartamudez seguía atormentándome, entendía todo lo que me decían. Fue lo justo para pasar el examen final y para acceder al *basic training*, que era ya realmente el comienzo de la vida militar. Al mirar hacia atrás y darme cuenta de que fácilmente pude haberme quedado en el primer paso, como les ocurrió a muchos de los que ingresaron en la escuela y no lograron aprender el idioma y por ende fueron devueltos a sus países, no me queda muy claro por qué razón yo sí pude seguir adelante.

Así que llegué a *Fort Benning*, Georgia, la casa de los infantes, como 11B. Ya había aprendido en la escuela, además de inglés, las costumbres y la estructura de la vida militar. Creo que eso me ayudó a estar un paso por delante de los que no habían pasado por la escuela. Mi tartamudez se notaba menos, ya que sabía la mecánica y cumplía las órdenes en silencio y sin problema.

Este tiempo de formación se enfocó en lo físico y en lo militar. Casi no tenía tiempo para conversar y hacer amigos, lo que me venía como anillo al dedo. Me ordenaban que hiciera algo y lo hacía sin rechistar: levántate, lleva, trae… todo lo hacía obedientemente. Teníamos poco tiempo para dormir y caminábamos mucho, algo que siempre me gustó de niño, así que disfrutaba las largas caminatas. Cuando teníamos que dormir a campo abierto me sentía como de vacaciones: miraba el cielo estrellado y respiraba aire puro. Para aquellos que eran de ciudad, este tipo de cosas costaban mucho.

De nuevo, hubo algunos que no aprobaron el *basic training* y fueron enviados a sus casas. Una vez más, no sabía cómo seguía avanzando en la carrera del *Army*.

Después del *basic training*, en donde uno realmente sufre mucho, viene ya el vivir cómodamente. Teníamos cuartos individuales, o a veces en grupos de dos o tres que rotaban cada cierto tiempo. Teníamos nuestra pequeña nevera, muy buena comida y, en general, todo lo que necesitábamos. La formación, por supuesto, seguía siendo dura, pero la vida era más tranquila. Siempre me costó tener amigos y vivir en fraternidad, ya se sabe, así que tendía a alejarme de todos. No dejaba de sentirme inferior por no saber responder a una conversación común y corriente. Cuando terminábamos la formación diaria, algunos grupos de amigos salían a diferentes lugares: restaurantes, bares, playas… yo prefería coger mis cosas e irme solo. A lo mejor no entendían por qué yo nunca quería compartir, pero lo cierto es que, en mi interior, tenía tantas ganas de estar con ellos, de salir a divertirme, que experimentaba también mucha desesperación.

Con todo y esto, mi tiempo en *Fort Benning*, Hawái fue espectacular. Seguía cumpliendo todos los deseos que le había encargado a Dios antes de salir del Ecuador. Tenía dinero, una buena posición social, con el ejército comencé a conocer el mundo, y las mujeres me seguían porque los hombres con uniforme son más apreciados.

Uno de mis tantos sueños infantiles era conocer un canguro en su ambiente natural. Por supuesto, Dios me lo concedió. Eso sí, debí tener paciencia y tranquilidad. El primer viaje que hicimos fuera del país fue a Australia. Hicimos un intercambio: nosotros íbamos a aprender la formación de ellos, y el ejército australiano venía a Hawái a aprender nuestro entrenamiento.

Llegamos a Brisbane, que es la tercera ciudad más grande, luego de Sídney y Melbourne. En el tiempo que llegamos se estaba realizando el *World Expo* 88, que también tuve la fortuna de conocer.

El viaje fue largo hasta llegar a la base militar. Nuestros viajes eran en aviones no civiles, lo que hacía que fuera más agotador, ya que los aviones militares no cuentan con las comodidades de las aerolíneas. Aunque no importó, porque para mí la experiencia fue maravillosa.

Al llegar allí nos llevaron al comedor. Todos estábamos hambrientos. Nos dieron una carne asada de color rojo, muy sabrosa de verdad, pero con un sabor distinto al de la res o el cerdo. Luego de comer nos preguntaron si sabíamos lo que habíamos comido. Y nadie supo responder. Era carne de canguro. Pensamos que se estaban burlando de nosotros, solo porque éramos extranjeros, así que nos llevaron a la cocina para que lo viéramos con nuestros propios ojos, y allí, colgando, estaban las patas del canguro. Para ellos era normal, pero para nosotros era todo un acontecimiento. Ni siquiera sabía que la carne de canguro se podía comer. Esa fue mi primera experiencia australiana.

Luego nos internamos en la selva, pues allí se iban a realizar los entrenamientos.

Mientras caminábamos por la selva de Australia de repente escuché algunos sonidos en la maleza.

Me detuve y a lo lejos había algunos movimientos. En un breve instante pensé que podría ser alguna serpiente, lo cual es normal en esas zonas. Me puse en guardia y muy prevenido a dichos movimientos. Escuché sonidos raros y curiosamente cada vez eran más cercanos a nosotros

Por mi parte, no me imaginaba y pensaba absolutamente nada de lo que estaba por suceder. Me comencé a relajar y pasé de estar con miedo y terror al momento más bello de mi vida.

Resulta que por primera vez en mi vida, se acercaba a nosotros un canguro. Cuando levanté la mirada, aquel animal, estaba muy cerca de mí. Qué emoción más grande ver los sueños hechos realidad. En ese momento, sin pensarlo, me tiré al piso para mirar con más sigilo cómo se movía el canguro. Mis compañeros se extrañaron y me preguntaron por qué estaba llorando, tal vez me había picado una serpiente, o algo. Pero eran lágrimas de felicidad. Ese canguro que estaba ahí fue lo más maravilloso que me pudiera pasar. Entonces mis compañeros dijeron: pues sigue llorando, porque mira la cantidad de canguros que hay.

En ese lugar los canguros estaban en libertad, eran salvajes, y se movían en manada, los más pequeños junto a los más grandes. Fue fantástico verlos en tanta cantidad y tan cerca. Cuando Dios da, lo hace en abundancia. Yo no quería ver canguros en el zoológico, quería verlos en su hábitat natural, así que Dios me dio todos los canguros que mis ojos pudieran ver.

Y expliqué que en aquella época no teníamos celulares para tomar fotos o hacer videos, así que tuve que contentarme con que las imágenes quedarán grabadas en mi mente y en mi corazón, donde están seguras y a salvo.

El entrenamiento duró dos semanas, y nos quedamos viviendo en la base otras dos semanas más para que pudiéramos conocer la ciudad. Cada vez que fui a un país, hubo un evento grande que pude experimentar. Por esos días se estaba realizando el *World Expo* 88, evento en el que participaban muchos países. Siempre he tratado de aprovechar las oportunidades de conocer, porque pienso que a lo mejor nunca más se me volverá a presentar. Por eso, usualmente, siempre iba solo a los lugares, mientras que mis amigos se quedaban tomando. Me encanta ir al centro de las ciudades y conocer sus iglesias, eso me ayuda mucho. Claro que después de mis recorridos también terminaba en los bares, en verdad. Pero en la mañana y en la tarde me dedicaba a conocer lo más posible.

Ese mismo año, en 1988, por septiembre, tuvimos otro entrenamiento fuera del país. Estuvimos un mes en Seúl, Corea del Sur. Y una vez más fui muy afortunado, porque llegamos para las olimpiadas que se realizaron en ese año.

El entrenamiento, como todos los entrenamientos que hacíamos, eran fuertes y cansados. Teníamos que caminar por horas, con una mochila que pesaba casi 40 libras y con una M243 que era más pequeña que la M60 y más grande que la M16, y que pesaba cerca de 20 libras. Yo me ponía la mano en el bolsillo en donde siempre cargaba el rosario, y le decía a la virgencita: por favor ayúdame y dame fuerza para seguir adelante, tú eres la única que puede hacerlo. Y la verdad no sé de dónde sacaba tanta fuerza para seguir y hasta, a veces, ayudar cargando la mochila de los demás que no avanzaban.

La cultura de Corea del Sur es completamente distinta a la nuestra. Tuvimos que adaptarnos también al idioma, ya que, a los lugares a los que íbamos a entrenar, que generalmente eran a las afueras de la ciudad, la gente no sabía inglés ni mucho menos español.

Allá en Seúl compré mi primer balón profesional. Como pagábamos en dólares, todo resultaba más barato. Hubiera querido comprar muchas cosas más, pero no podía llevarlas, así que solo compré un balón y un edredón.

Siempre que llevábamos el uniforme puesto, excepto cuando salíamos de permiso y vestidos civil, las mujeres se acercaban y nos decían:

G. I. I love you. A los militares nos llamaban G. I. porque había una serie de dibujos animados en la que aparecía un militar llamado G. I. Joe, que iba por el mundo peleando y salvando vidas. Nos decían eso para estar con nosotros. Y una vez más yo pensaba que era Dios el que me había dado lo que le había pedido: ser famoso, que la gente me siguiera. A los militares de Estados Unidos la gente los sigue, las chicas quieren estar con ellos, son personas respetadas. Si hubiera habido celulares como ahora, nos hubiéramos tomado tantas fotos. Pero Dios sabe cómo hacer sus cosas.

Cuando iba de vacaciones a Ecuador a visitar a la familia, iba con el uniforme, así que tenía muchos amigos y amigas, y casi no me alcanzaba el tiempo para estar con todos. Pero no importaba que yo fuera un militar, si llegaba tomado mi mamita sacaba el cabestrillo y me pegaba, decía que quería ver un buen hombre y no un borracho.

La verdad es que los últimos meses en el ejército comencé a tomar mucho, sin parar. Y no porque me sintiera mal, sino porque disfrutaba el licor, en especial la cerveza, que era lo que más tomaba. Por mi forma de ser, compraba mi caja de cerveza y me la tomaba solo en mi cuarto. Luego me iba borracho para cualquier lugar. Si no fuera por Dios que siempre me ha cuidado, y por las oraciones de mamita que interceden por mí para que Dios me siga dando oportunidades, quién sabe si seguiría vivo.

Entre tantas veces que salí borracho, dos fueron las que casi me mato. La primera estaba manejando, ya de regreso a casa, y me quedé dormido. Cuando abrí los ojos me estaba yendo directo a una quebrada. Sentí que alguien tomó el volante y enderezó el carro, ahí estaban los ángeles cuidándome. Después de eso dije que ya no iba a tomar más, pero eran solamente palabras, porque después de unos días comencé otra vez con una cervecita para el calor y sin darme cuenta ya andaba en las mismas.

Otro día salimos a tomar en grupo. Cuando ya estábamos borrachos decidimos irnos. Manejando de regreso nos paró la policía y algunos de mis amigos empezaron a vomitar, otro comenzó a hablar mal de los policías (nunca ha habido buena relación entre militares y policías), y a mí me pidieron los papeles. Apenas vio que éramos militares, quién sabe qué más le dije tartamudeando, nos dejó ir. Al día siguiente, una vez más, dije que no iba a volver a tomar. Pero eran solo palabras.

En año nuevo estábamos tomando licor encendido, cuando de repente se me regó la copa por la boca y empezó a quemarme. Mis amigos comenzaron a apagarme pegándome en la cara, aunque igual me quemé las cejas, la boca y la quijada.

En este mundo de las bebidas, nos retamos tres amigos para ver quién tomaba más. Había que tomar todos los días hasta que dos de nosotros se rindieran. La verdad, yo tomaba de lunes a sábado, ya que el domingo no tomaba porque iba a misa. Mis amigos decían que era un hipócrita por eso. Pero yo estaba seguro de que algún día iba a dejarlo. Un doce de julio, domingo, día de mi cumpleaños, sí tomé y brindé junto con el Señor.

Después de la última formación, a las cinco de la tarde, íbamos a los bares a comprar cerveza y nos presionábamos para ver quién aguantaba más. Duramos casi dos semanas así. Cuando ya estaba tomado, me iba al baño, cogía mi rosario y le decía a la virgencita: ayúdame a seguir tomando, sé que te pido estupideces, pero quiero demostrarles que soy el mejor borracho que hay. A veces me caí, o vomitaba involuntariamente, o me metía el dedo en la boca para provocarme el vómito y seguir tomando, o me desmayaba, pero estuve hasta el final. Por esto sé que, hasta cuando hacemos las peores estupideces, Dios nos sigue protegiendo.

Estuve en dos conflictos pequeños. Cuando uno siente que está tan cerca de morir y que todo se puede acabar en la vida, la cabeza te da vueltas y vueltas. Viviendo en una trinchera solo puedes pensar en tantas cosas de tu vida.

Todo ese tiempo que pase ahí me daba cuenta de que, en la vida, uno vive solo del pasado y del futuro, esperando ser alguien o queriendo expresar los sentimientos a alguien y, al final, puede ser que ese momento nunca llegue, puede que mueras allí. Dirán que fuiste una gran persona y le entregarán una bandera a tu familia y te harán honores por haber sido militar y haber muerto en batalla. Nada más.

En ese momento entendí que ya no quería seguir viviendo de sueños, ni del pasado, y le dije a Dios que, si me daba vida y salía de eso, iba a expresar lo que sentía y no iba a guardar más los sentimientos que tenía, que, aunque podía seguir siendo tartamudo, eso no implicaba que no pudiera expresar lo que yo sentía, que todos los días iba a dar lo mejor de lo mejor y en cada oportunidad que tuviera de compartir con alguien iba a tratar de hacerlo feliz. Desde ese momento siento que todas las experiencias son maravillosas. Gracias a Dios no me pasó nada, sigo vivo.

Mi contrato con el ejército estaba a punto de acabarse, así que tenía que decidir si continuar o no. En el ejército pude jugar fútbol, y tenía la oportunidad de jugar como profesional debido a que apenas estaba empezando el auge de este deporte, podía también firmar otro contrato y pedir que me enviaran a cualquier lugar del mundo, podía asimismo recibir el G. I. Bill, que es un dinero que te dan para estudiar en cualquier universidad, en la que escojas.

A veces, cuando jugábamos fútbol, llegaba el capellán del ejército que era un colombiano y que le encantaba jugar y que además jugaba muy bien, considerando su edad. Uno de esos días me acerqué y le dije que tenía la intención de entrar al seminario para ser sacerdote, pero dentro de mí también sentía ese amor al fútbol que me hacía dudar sobre entrar al seminario.

Entonces me dijo: mírame a mí, me encanta el fútbol y vengo a jugar cada que puedo, por la edad ya no juego todo el día, como de joven, luego, cuando alguien me necesita, voy enseguida.

En ese tiempo no teníamos todavía celular y la única manera de comunicarnos era con el famoso bíper, que era una maquinita con una pequeña pantalla en la que salía el número de las personas que te llamaban, entonces uno iba al teléfono más cercano y podía llamarles. El capellán me decía: cuando alguien me llama vuelvo a la oficina para atenderlo, y quedó con la tranquilidad de por lo menos haber jugado un rato. Hoy eres joven y quisieras jugar todo el día, pero ya de adulto, con un rato que juegues te vas a sentir bien. Así que, que te guste el fútbol no es un obstáculo para seguir a Dios.

Esa conversación me ayudó a comprender aún más el llamado.

Antes de tomar la decisión de seguir o no en el ejército, llamé a mamita por teléfono y le dije que quería que la gente me quisiera por lo que era y no por lo que tenía como militar. Entonces mamita, muy sabiamente, me dijo: mijo, si de verdad quiere que lo quieran por lo que es, regresé al Ecuador y estudia medicina, que era un sueño que usted tenía, pero no traiga nada, para que así pueda diferenciar y mirar quién realmente lo quiere y lo ama.

Le dije: mamita, pero ¿qué hago con todas las cosas que he conseguido? ¿Cómo las voy a dejar, si me costó tanto esfuerzo en la vida? Y ella respondió: recuerde que todo viene y va y de la misma manera que pudo conseguir las cosas, mañana puede conseguir más, no se aferre a las cosas materiales, sino a sus sueños e ilusiones.

Luego de esa conversación, fui donde mi capitán y le dije que ya no iba a continuar en la vida militar, que iba a escoger otra vida, que quería ser sacerdote.

Y me dijo: sabes, eso tenías que haberlo pensado antes de ingresar al ejército, porque aquí te hemos enseñado a ser un gran militar y matar gente, y ahora quieres cambiar todo. Recuerda que podrás cambiar tus acciones, pero lo que tienes en tu mente y corazón ya no puede cambiar.

Y sí, como los militares nos enseñan a ser fuertes, toscos, sin sentimientos, el entrenamiento no es fácil. Me acuerdo de que, antes de ingresar, me gustaba sonreír bastante, pero en los primeros días me sacaron esas sonrisas. Podemos criticar a los militares porque son así de fríos, pero esa es precisamente la formación que nos dan.

Entonces le dije: sí, tiene toda la razón, pero al mismo tiempo sé que Dios va a cambiar mi forma de pensar y volveré a ser el mismo una vez más.

Mis compañeros me decían: tú naciste para ser militar, estamos seguros de que vas a volver a la vida militar porque afuera no te vas a encontrar, ya volverás. Y les decía: no es así, seré militar hasta el último día de mi contrato y daré lo mejor de mí durante ese tiempo. Luego, ya veré.

Así que decidí no seguir la vida militar y no firmé otro contrato. Tenía la oportunidad de jugar fútbol, pero debía firmar por seis años y tampoco lo quería por mucho tiempo, así que decidí regresar al Ecuador y estudiar medicina.

El haber estado en el ejército de Estados Unidos me ayudó para poder nacionalizarme estadounidense. Aunque al comienzo me preguntaba para qué iba a nacionalizarme, si iba a perder la nacionalidad ecuatoriana. En ese tiempo todavía no existía la doble nacionalidad, como ahora. Pero hubo algo en mi interior que me motivó a decir que sí y me nacionalicé norteamericano. Esta decisión realmente me ayudó mucho más adelante, de lo contrario nunca más hubiera regresado a los Estados Unidos.

CAPÍTULO X

DE VUELTA A CASA

La decisión de regresar a Ecuador fue consciente, aunque la mayoría no entendía por qué lo hacía. Una vez más sentía en mi corazón que debía volver a Quito. Quise cambiar por completo mi *look*, antes de volver al Ecuador. Me dejé crecer el pelo, me hice una colita, me vestí con los pantalones rotos que todavía no estaban de moda en ese tiempo, y me puse un arete en la oreja izquierda, quería ser diferente. Antes trataba de vestirme con la ropa más cara y elegante, pero al volver quería dar un cambio total.

Llegué al Ecuador ilusionado y feliz. Como el aeropuerto estaba a solo cuatro cuadras de la casa, siempre llegaba sin que nadie me fuera a esperar.

Así que llegué, timbre y mamita salió a verme. Nos dimos un fuerte abrazo, me miró la oreja y me dijo: ¿qué es lo que tienes ahí? Yo, muy orgulloso y sacando pecho, le dije: un arete y es de oro.

En mi interior me sentía feliz, contento, orgulloso de ser diferente,

Cabe recalcar que mi mamita era de una estatura pequeña. Medía más o menos un metro cincuenta, no tenía la fuerza de antes, caminaba lento, usaba gafas de aumento, tenía ojos cafés claros, sus manitas pequeñas y muy endurecidas por los años de trabajo.

Toda su vida trabajó en el campo, en la casa, en todos los quehaceres domésticos y ya con los años encima, le encontré llena de arrugas. Su contextura física era delgada. Esto quizá porque no comía mucho o por su mismo modo de ser. Pero no niego que disfrutaba mucho de cocinar y dar de comer a todos los que venían a la casa. Ella como un ejemplo de madre, solo comía, una vez que todos lo habían hecho.

Estratégicamente, dentro de las familias, eso hacía una madre. Esperar que todos coman y si sobraba lo hacía ellas. Esto demuestra su grandísimo amor por la familia.

Esa mujer que no tenía las fuerzas de antes, la encontré. Pero debo decirles que algo en ella, jamás se perdió. Era el coraje y la tenacidad de siempre. Ella sabía que nos enseñó buenos modales, una buena forma de vida para que seamos unas buenas personas. Personas con reglas y normas que había que cumplir para el beneficio de uno. Valores morales y espirituales rectos, sabiendo lo que es bueno y malo, lo que podíamos hacer y lo que no teníamos que hacer.

Esa mujer con ese temple amoroso, pero con un gran coraje inquebrantable me recibió a mi llegada de Estados Unidos. Es ahí y en ese momento, cuando sin darme cuenta ni esperar lo que iba a suceder, porque nunca me hubiera imaginado, ni aunque me hubiera dicho no hubiera creído.

Esa vieja mujer en años pero no en carácter y normas, me sacó un derechazo y me dio una bofetada diciendo: "Hombrecito te mandé a Estados Unidos y hombrecito quiero que vengas".

yo trataba de responder, pero mi tartamudez no me dejaba, entonces mi dio otra bofetada al otro lado para igualarme de una sola vez, y me dijo: si quieres quedarte aquí, tienes que obedecer, y si no las puertas están abiertas, si tienes dinero puedes irte a quedar a vivir afuera, me va a doler, pero si te quieres quedar ya sabes las reglas.

Comprendí que tenía que obedecer. La razón de haber regresado al Ecuador era quedarme con mi familia y compartir con ellos, así que cada vez que entraba a la casa me sacaba el arete y cuando salía me lo ponía. Yo seguía pensando que el arte me hacía diferente.

Comencé a estudiar medicina y todavía seguía tartamudo, tomaba y fumaba, pero, la verdad, dejé las drogas que usaba en Estados Unidos, porque entendí que eso me estaba destruyendo y realmente quería ser una buena persona en cualquier camino que escogiera.

Aunque la gente, por verme vestido así, decía que era drogadicto. Yo les decía: antes, cuando me vestía bien, utilizaba drogas, ahora que me visto diferente ya no lo hago. Esto me ayudó mucho a comprender mi vida, a valorarme y saber quién de verdad era yo.

Sabía que poco a poco tenía que dejar los vicios. Yo llegué a fumar dos cajetillas y media de tabacos, también masticaba el tabaco que es una costumbre americana, y cuando vine al Ecuador lo hacía, por eso creían que era droga la que yo usaba, y no, era tabaco de masticar.

Comencé fumando Marlboro, pasé al *Newport* que era tabaco mentolado, y luego tenía tantas ansias que comencé a fumar Camel sin filtro. Desde la mañana, muy a las seis, apenas salía para la universidad, ya estaba fumando como una chimenea. Aunque uno no se da cuenta del olor, mis amigos decían: ya vienes fumando. Y yo les decía: ¿cómo saben? Y ellos me decían: pero si se huele a lo lejos. Y les decía: mentira, yo no huelo nada.

De tanto tabaco que fumaba ya tenía los dedos amarillos y toda la ropa impregnada. Aunque en la casa no podía fumar, porque a mamita no le gustaba, pero cuando salía, ahí sí aprovechaba todo el día.

Así que un 31 de diciembre a las doce de la noche, luego, de ir a misa de medianoche y decirle al señor que quería ya comenzar a dejar los vicios, después del abrazo de año nuevo con la familia y luego de la cena, salimos a la calle para encontrarnos con nuestros amigos del barrio. Era una fiesta en la que hacíamos un muñeco de trapo lleno de pólvora, que llamábamos año viejo y luego los quemábamos. Por supuesto también tomábamos.

Ese día estando con ellos les dije: este es mi último tabaco.

Me miraron, se rieron y dijeron: eso es imposible, así no se deja de fumar. Cuando uno fuma bastante como tú, hay que dejarlo poco a poco y luego ya lo dejas por completo, porque si no le da a uno depresión y tristeza, por eso no se puede dejar de raíz.

Cogí el rosario en la mano, como siempre lo hacía, y les dije: sé que soy débil, pero Dios es mi fuerza y fortaleza y con el sí voy a poder dejar de fumar. Le pido a la virgencita que me ayude a dejar de fumar por completo, sin que tenga ninguna ansiedad o problema.

La verdad es que Dios es tan grande y poderoso, que ese fue el último día que fumé tabaco. De ahí en adelante, hasta el día de hoy, no he fumado y no me ha dado ninguna ansiedad o problema, ni tantas cosas que decían que iba a pasar.

Hay cosas que uno no puede entender ni comprender, pero Dios sí puede hacer todo.

Ese fue un primer paso para el cambio que iba a seguir teniendo en mi vida.

Mi tartamudez me desesperaba día a día, así que, con mamita, fuimos al médico que siempre me atendía para ver qué podíamos hacer con mi tartamudez. Cuando llegamos el doctor dijo que me quedara afuera, porque quería hablar a solas con mamita. Yo salí, pero me puse en la puerta para oír qué le decía.

El doctor le dijo a mamita que mi enfermedad de la tartamudez era física y que ya no se podía hacer nada. Que ya se había hecho todo lo posible y a mi edad y con todo lo que yo había hecho en Estados Unidos y en el ejército, lo que tenía que hacer era aceptar mi tartamudez y nada más.

Yo nunca había visto enojada a mamita con otras personas, pero ese día escuché que le dijo al médico: sabe qué, Dios va a hacer hablar a mi hijo. Y el doctor insistía, diciendo: yo lo conozco desde la infancia y no la quiero engañar, ya no se puede hacer nada más, ni en Estados

Unidos lo pudieron ayudar a superar su tartamudez, entonces es imposible. Esto no es de fe. Esto es físico y ni Dios le va a poder ayudar en eso.

Mamita salió muy enojada del consultorio. Yo me senté en la banquita que estaba afuera y lo único que sentía era dolor y tristeza, y me comenzaron a salir algunas lágrimas.

Mamita, al salir y verme solo, me agarró de la mano bien fuerte y salimos. No me dijo nada. Mamita era muy sabia y sabía en qué momentos tenía que hablar o decir.

Salimos y nos fuimos a la iglesia de san Agustín, que siempre solíamos visitar porque a mamita le gustaba mucho.

Nos sentamos atrás, como le gustaba a ella y nos quedamos rezando. Luego hubo la misa y nos quedamos. Mamita me agarró fuerte la mano y me dijo: ya le pedí a Dios que te cure de tu tartamudez, pero eres tú el que tiene que pedirle con toda la fe y confianza y verás que él te va a curar. Y no me dijo nada más. No quería hacer sufrir más a mamita, así que si tenía que quedarme tartamudo toda la vida lo iba a hacer.

Entonces le dije a Dios: la verdad es que acepto mi tartamudez, sé que lo viviré el resto de mi vida, pero eso implica que no pueda seguirte ni hablar de ti. Por eso, si tú quieres que te siga y pueda hablar de lo maravilloso que eres, hazme hablar y será una señal para mí, y si no, igual seguiré contigo, pero realmente tendré que ver a dónde tengo que irme o qué hacer con mi vida. La verdad es que me quede tranquilo, pero seguía siendo tartamudo.

Salimos de la iglesia, regresamos a la casa y no pasó nada más.

Dormí tranquilo, como siempre lo hacía, sin moverme para no destender la cama y al otro día arreglarla rápidamente y salir.

Al siguiente día, al levantarme, me sentí diferente. Algo había pasado dentro de mí durante la noche. Pero no sabía qué.

Me miré al espejo y de repente me di cuenta de que no era un patito feo, vi que era guapo, inteligente y capaz. A la edad de veinticinco años había logrado más que lo que otras personas de mi edad habían logrado: conocía el mundo, fui famoso, había vivido tres años en Hawái, y tenía triunfos y campeonatos cosechados en varios equipos de fútbol en los que jugué.

Ese día el patito feo se convirtió en un cisne. Me vi completamente diferente, aunque seguía siendo el mismo: delgado, con los ojos metidos, las orejas salidas, el pecho de plancha, pero ya siendo un cisne.

A lo largo de mi vida tuve mucho resentimiento con mi papá por todo lo que él me hizo, por haberme pegado, inscrito como hijo ilegítimo y todas las historias que sabía de él.

Antes de irme a los Estados Unidos me dio curiosidad saber quién era él, cómo era mi otra familia, mis medios hermanos, mis otras tías… Esa curiosidad me llevó a viajar a Ibarra y tratar de localizarle, pero de verdad que no supe nada de él, porque ya no vivía donde vivía antes, entonces me fui con esa incertidumbre de no haber conocido a mi papá.

Luego, cuando vine de los Estados Unidos, quería verlo y conocerlo, así que lo fui a buscar a Ibarra. Pregunté de casa en casa y nadie me dio señas de él. Dentro de mi corazón tenía tanta rabia, odio, rencor, que lo quería ver para hacerle lo mismo que él me había hecho a mí y a mi mamá. Quería pegarle y no sé qué más. En el ejército me habían enseñado a matar y a no tener sentimientos. Pero gracias a Dios no lo pude encontrar, de verdad no sé si todavía estaría vivo.

Pero ese día que me levanté comprendí que tenía que darle gracias a Dios por mi papá, por haberme dado la vida. Mamita me decía muchas veces que lo perdonara y lo amara, pero yo en el interior me decía: cómo puede uno amar a alguien que le hizo tanto daño y le destruyó la vida, eso es imposible.

Dios era el que me había traído a la vida y por eso le daba siempre gracias, pero al mismo tiempo se necesitaba de un ser humano para que yo naciera y ahí Dios había usado el espermatozoide de mi papá para que yo pudiera venir a este mundo. Por eso le di gracias a Dios por mi papá, por ese espermatozoide que me dio y nada más, porque sé que lo demás lo hizo Dios solo.

Ese día encontré tanta paz dentro de mí, ya había perdonado a mi papá, lo quería. No puedo decir que lo amaba, porque eso ya es otro sentimiento que uno tiene que ganarse, pero sí, de corazón, lo perdoné.

Fueron tantas circunstancias que pasaron esa noche, no sé si llegaron los extraterrestres y me hicieron una operación de garganta, o me trajeron de un mundo paralelo al otro Luis Mejía. No sé nada de eso, lo único que sé y que puedo decir, es que ese día comencé a hablar normalmente, mi tartamudez había desaparecido. Una y otra vez

Dios me había curado, hasta que me curó de mi tartamudez, como lo hizo con Moisés y como Jesús había curado al mudo.

Hay muchas cosas que uno no puede comprender, les puede dar vueltas y vueltas y nunca encontrar una respuesta que le satisfaga, pero los milagros de Dios por supuesto que existen, de eso puedo dar fe.

Así que salí del cuarto a ver a mamita y a decirle que podía hablar. Me dio un fuerte abrazo y lloramos juntos. Me decía: ves que Dios sí te va a cuidar.

Salí de la casa y me fui a ver a mis amigos del barrio.

Los llamé y nos fuimos a la tienda a la que siempre íbamos. Hablé y le dije: denos una jarra de cerveza, que yo pago. En realidad, siempre era yo el que pagaba, pero ese día era diferente. Les dije que les iba a contar toda mi vida y que les iba a contestar todas las preguntas que me habían hecho antes, porque ya podía hablar normalmente.

La mayoría de nosotros podemos ver, tocar, hablar, y sin darnos cuenta nos quejamos de cómo somos. Y hay otros, como yo, que tuvimos que experimentar primero la tristeza y luego la alegría de saber que tenemos todo.

Ese día una vez más me emborraché y cuando llegué a la casa, mamita sacó una vez más el cabestro y me pegó, pero tal vez ese día era diferente, porque sabía que ya era normal.

Días después, con mamita nos fuimos de nuevo al médico que me atendió, entramos juntos, lo saludé y conversé con él.

Él me dijo: dónde está el tartamudo, no sabía que tenía un hermano gemelo. Y mamita le dijo: es él mismo. Y él contestó: es imposible, qué broma me están haciendo. Si yo no los hubiera conocido pensaría que están bromeando conmigo, pero sé que eres tú mismo, cuéntame, qué tomaste para recetarles a mis pacientes que tienen esa misma enfermedad. Y mamita le dijo: Dios le curó su tartamudez. El médico dijo: ¿de verdad? O tomaron algo que le hizo volver a ser normal. Y mamita le dijo una vez más: le dije que Dios lo iba a hacer hablar, ahí está el poder de Dios. Y el médico dijo: de verdad hoy sí creo, cuando vengan pacientes con enfermedades incurables les voy a decir que se acerquen a Dios, que le pidan de corazón, él es el único que puede curar cualquier enfermedad, hasta esta enfermedad física que él tenía.

Me dio un abrazo y se disculpó con mi mamita diciendo que hoy él también creía en Dios.

Las cosas se dan en el tiempo de Dios y no en el tiempo de uno, y a veces uno tiene que pasar muchas dificultades para poder valorar y entender que la vida sigue siendo bella y hermosa.

CAPÍTULO XI

CAMBIOS EN LA VIDA

Me volví normal, pero el licor me seguía ganando más que nunca. Porque ahora que ya podía hablar me quedaba más tiempo con mis amigos tomando y conversando. Me vengué de todo ese tiempo que no pude hablar y solo oía, ahora yo era él que hablaba.

Cuando iba a la universidad y si no llegaba el profesor a la primera hora, les decía a mis amigos que fuéramos al parque a tomar una cervecita mientras que empezaba la siguiente hora, y claro, me acolitaban y comenzábamos a tomar, y ya nadie me paraba, porque me picaba y seguía tomando todo el día.

Luego, en la tarde, regresaba al barrio y me encontraba con mis amigos, y los invitaba a seguir tomando hasta la noche, que regresaba a la casa borracho.

Todos los días recibía una pisa de mi mamita con el cabestro, pero no entendía, me volví rudo y borracho. Llegué al tope del alcoholismo, porque ya comencé a tener lagunas mentales. Ya no me acordaba de lo que hacía cuando tomaba, comencé a vomitar sangre, mi cara comenzó a deformarse por tantas caídas y golpes que tenía.

Borracho me caí y me rompí la quijada, la ceja, la cabeza, los dos pómulos, derecho e izquierdo, los tenía negros por los golpes, tomaba todos los días y ya no me podía controlar. Me hablaban, me aconsejaban, me pegaban, pero yo no oía. Uno de esos días que fui a clases y el profesor no llegó me fui a tomar como siempre, y a medio día estaba regresando a la casa. La verdad es que no me acuerdo de nada de lo que sucedió ese día.

Mi tía, que a esa hora salía a trabajar y estaba en la parada esperando el bus, vio que se bajó un borrachito y cruzó la calle de la prensa, que es una avenida de muchos autos que van y vienen a toda velocidad. Dice ella que la verdad fue un milagro que a ese borrachito no lo atropellaron los carros. Cuando mi tía vio que ese borracho era yo, se imaginó que tenía que llamar a la Cruz Roja, porque era seguro un accidente. Pero no me sucedió nada. Me agarró de los hombros y me llevó hasta la casa. Me acostó en el cuarto y me echó llave, para que no saliera.

Para ser sincero, no me acuerdo de cuando me subí al bus, ni tampoco de cuando me bajé. Usualmente, mis amigos me llevaban a la parada y me hacían subir, yo me sentaba y no sé qué más pasaba, pero siempre me despertaba en la parada donde tenía que bajarme. Era como automático, y de ahí llegaba a la casa.

Me acuerdo de que desperté, y vi que todas estaban llorando: mamita, mis tías, y les dije: ¿qué pasó, qué sucedió, quién murió? Y me dijeron: tú. Y les dije: cómo que yo, si estoy vivo. Y dijeron: ¿no ves lo que nos estás haciendo? Pero qué pasa, les dije, yo estoy bien, soy guapo, inteligente y capaz. Y dijo mamita, con lágrimas en los ojos: ¿qué te falta en tu vida? Ya puedes hablar, eres normal, te queremos, ¿por qué sigues tomando? Hoy pudiste haber muerto. ¿De verdad quieres matarte? Puedes matarte ya, pero no nos sigas haciendo sufrir más. Mi tía cogió un espejo y dijo: mírate al espejo, mira tu cara como está destruida, como esos borrachos que no tienen familia y que están en la calle botados sin que nadie los quiera. Todos los cortes que tienes en la cara, tus pómulos de borracho. ¿Qué quieres que hagamos por ti?

Sabía que tenía que cambiar.

Creo que ese día fue el comienzo de mi nueva vida. Ya no quería seguir viéndolas sufrir, en especial a mamita que tanto rezaba por mí. Ofrecía rosarios y siempre pedía a Dios que me protegiera. Y de verdad, si no hubiera sido por las oraciones de mamita, estoy seguro de que no hubiera sobrevivido, hace mucho tiempo hubiera muerto.

Esas oraciones eran las que me tenían vivo y me daban una nueva oportunidad todos los días.

Le dije que iba a luchar. No les prometí que nunca más iba a tomar, porque sabía que era débil, pero les pedí que me ayudaran a no estar solo. Que cuando fuera a jugar fútbol, después de los partidos estuvieran esperándome para llevarme. Que estuvieran lo que más cerca pudieran de mí.

Y sí, hicieron todo eso. Además, tenía la ayuda de Dios y de la virgencita. Tenía siempre el rosario y sabía que ella me iba a ayudar.

Dejé de tomar sin ir a alcohólicos anónimos, aunque sabía que yo era uno de ellos.

CAPÍTULO XII

ENSEÑANZAS DE LA VIDA

El ser humano es un ser de costumbres y de aprendizaje. A veces aprendemos a las buenas, y a veces a las malas. En mi caso he sido rudito para aprender. Me han tenido que formar a la mala, con el cabestro en mano, y en mi vida personal con los golpes de la vida, porque a veces no he querido entender ni comprender.

Una de las enseñanzas que tuve que aprender, fue saber reconocer el sentimiento de amor puro y sincero de la amistad. Tal vez hasta ese momento todavía no lo había hecho.

Seguía estudiando medicina y en ese caminar duro de mi vida, después de haber superado tantos vicios, me creía de repente el mejor de todos. Creo que los problemas que vinieron fueron por empezarme a creerse el mejor, por pensar que por haber cambiado y ser una buena persona ya todo el mundo tenía que decirme que sí.

Había una chica que me gustaba, y como ya podía hablar normalmente pensaba que con eso todo el mundo iba a decirme que sí. Fui y me declaré. Le dije que fuera mi enamorada. Ella me miró y me dijo que me quería mucho, pero nada más como amigo, no como enamorado. Le seguí dando algunos regalos y me declaré por segunda vez, y me dijo lo mismo, que no podía decir que sí. Luego me declaré por tercera vez, y seguía insistiendo que me quería solo como amigo. Después vino una cuarta, y una quinta vez. Le pregunté: Pero ¿por qué no me dices que sí?: Te doy regalos, conversamos, nos abrazamos, y siento que hay una conexión entre nosotros.

Ese día realmente pude entender algunas cosas. Me dijo: Realmente yo te aprecio y te quiero como amigo, y no te puedo hacer daño. Si te digo que sí, no va a funcionar. Tienes que entender que no porque me des regalos y nos sintamos bien juntos quiere decir que quiero ser tu enamorada, porque también hay esos sentimientos de amor puro como amigos y nada más, y ese sentimiento es lo más hermoso que existe.

Ese día aprendí que sí hay sentimiento de verdadero amor: la entrega, el servicio, el querer lo mejor para los demás, ese amor que Jesús nos enseñó y que yo también aprendí que sabía, pero que no ponía en práctica en mi vida.

Quedamos como amigos y mi corazón pudo encontrar paz y tranquilidad Este sentimiento verdadero de amor me sirvió el resto de mi vida, en especial en el camino que iba a escoger.

Ese día aprendí que si hay y existe ese sentimiento verdadero de amor, que es la entrega, el servicio, el querer lo mejor para los demás, ese amor que Jesús nos enseñó y que yo también aprendí y sabía, pero que no ponía en práctica en mi vida.

Quedamos como amigos y mi corazón pudo encontrar paz y tranquilidad y aprender realmente un sentimiento verdadero de amor que me iba a servir el resto de mi vida, en especial en el camino que iba a escoger.

Tal vez cuando uno está en esos momentos en que te cierran las puertas o tal vez una relación no funciona, parece que se acaba el mundo. Hay muchas cosas que como seres humanos nos cuesta entender o comprender, en especial cuando son cosas del corazón. A lo largo de la vida uno puede darse cuenta de que puede solucionar muchos problemas, o encontrar alguna especie de medicina para poder sanarse o estar más tranquilo.

Pero cuando hablamos de las cosas del corazón, no existe ningún remedio, receta o fórmula con la que uno pueda llegar a automedicarse y sentir que llegó a curarse. Lo único que uno puede hacer en esas circunstancias, dolorosas desde luego, es esperar el tiempo con paciencia y que esas cicatrices se puedan llegar a sanar.

Con estas heridas y caminando en el tiempo, es como pasé el ejército. Aquí puedo decir que las cosas difíciles no pasan solo en el corazón, sino también en la vida. En el ejército, pasé momentos muy críticos, llegando a pensar que nunca iba a superar. Sin embargo, superé, lo logré. Todo esto fue gracias a las enseñanzas que aprendí, donde la vida me enseñó no solamente a manejar el dolor y sufrimiento del corazón, sino también en el ámbito físico.

Quizá no aprendí a superar el sufrimiento como el mundo nos enseña a superar estos miedos. El mundo nos enseña a tener un corazón herido y que se debe curar o superar el dolor con vicios, droga, alcohol, adicciones, etc.

Por mi parte y por la experiencia de un Dios que siempre ha estado conmigo, todo fue diferente. Pude salir de una manera distinta y hasta aprendí la lección. Cuando el tiempo pasa, nos damos cuenta del por qué se dieron las cosas y hasta vamos encontrando curiosamente, las razones por las que tuvimos que pasar por muchos sufrimientos.

Cada vez que pienso en esos momentos, veo que Dios es el único que lo puede hacer y con el tiempo, hacernos entender las cosas.

En mi caso, mi enorme sufrimiento fue por haber creído que ya sabía todo y que porque ya había sufrido mucho, entonces, ya no tenía por qué tener más negativas en mi vida. En definitiva, todo debía ser positivo y todos debían decirme que sí a cualquier precio.

Qué error más grande es pensar así en la vida. Esto porque en vez de curar la herida, el tiempo se encarga de que tarde más la curación y que todo dure muchísimo más tiempo.

En este proceso, siempre he tratado de poner en práctica las enseñanzas de mamita, las mismas que eran muy sencillas. Me decía:

Cree y confía en Dios siempre y trata de ser una persona verdadera y sincera. Luego, aprende de las experiencias para no cometer los mismos errores. Por esto es que cuando mi corazón estaba roto, después de cada "no" aparecía nuevamente la esperanza de que podría haber un "sí" y ello sin duda, me ayudaba a seguir viviendo día a día.

Lo que aprendí en mi vida militar fue que tenía que vivir un día a la vez y tratar de resolver los problemas, esto porque siempre y en lo que sea, habrá una solución. Aunque esto es bajo el riesgo de que no siempre será la que nosotros queremos o deseamos, pero si será la alternativa que debemos acoger.

En la vida militar, también entendí que uno tiene que tomar decisiones aunque sean dolorosas, porque si no las toma, te puede costar la vida tuya y la de los demás. Hay que planificar rápido, pensar rápido y tomar la decisión rápido.

Yo si pensaba que la vida militar no me iba a servir en el mundo ordinario y que nunca más iba a usar las enseñanzas que aprendí y la vida que viví. Pero luego te das cuenta de que todo lo que uno aprende le sirve en algún momento, más lo que yo viví en la vida militar.

Cuando caminábamos por las montañas con la mochila y el rifle, parecía que nunca se iba a acabar y hasta nos imaginábamos que se estaba haciendo más grande o que nosotros estábamos retrocediendo, como si estuviéramos caminando hacia atrás y no hacia delante.

Recuerdo que en Australia, es donde caminamos la montaña más grande y que parecía que nunca íbamos a terminar de llegar a la cima. Sin embargo, al final y después de tanto dolor, sufrimiento, cansancio, hambre, tristeza, soledad, pudimos llegar.

Aquella enorme caminata duró un par de días, pero al final y con la satisfacción del deber cumplido, pudimos terminar y llegar a la cima.

De ahí que puedo decir: En la vida, los dolores que llevamos, en especial, los dolores del corazón, no son dolores de horas, días o meses, porque a veces puede ser de años. Pero al fin y al cabo, terminamos por llegar a sanarnos y llegamos a curarnos y ser libres.

Por tanto, la enorme enseñanza que les podemos compartir, radica en el aprender a discernir el momento, lugar y circunstancia en que nuestro corazón está roto o tiene un sentimiento de pérdida total.

Es en ese momento, cuando hay que acercarse a Dios y dejar que él nos ayude a curarnos. Porque no hay ninguna otra manera para salir de ese problema. Tal vez parece una respuesta ridícula y fuera de tono en nuestro recorrido. Sin embargo, esta es la única forma de sanación y además es la única fórmula que no nos va a llevar a tener otros problemas más grandes.

Esto digo, porque si uno va en busca de otras soluciones, podemos caer en una cadena de cosas negativas y que siempre nos llevan a complicarnos cada vez más. Es por esto que he vivido que les animo a dejarnos guiar por Dios en cualquiera pensamiento que tengamos de él.

CAPÍTULO XIII

EL TERCER SUEÑO

Terminaba ya el primer año de medicina, estaba en los veinticinco años y tenía que decidir. Para entrar al seminario la edad máxima era veinticinco, luego se complicaba. Entonces pensé dentro que lo mejor era conversar con mi sacerdote, el guía espiritual de mi parroquia, que me conocía desde pequeño y sabía todo de mí.

Me acerqué y le dije: padre estoy listo para entrar al seminario. Me miró y dijo: ¿qué fumaste ahora? Y le dije: si ya no fumo, he dejado todos los vicios. Luego dijo: ¿ya te viste al espejo? Y le dije: claro, que sí, soy guapo, inteligente y capaz. Me dijo entonces: ¿y cómo estás vestido? Con mi mejor ropa, contesté. Y ese arete, esa colita, esa ropa con huecos en los pantalones, ¿crees que así vas a entrar al seminario?, dijo. Tienes que vestirte normal y peinarte normal. Y le dije: soy una persona normal y el vestirme así, me da felicidad y contento. Y dijo el padre finalmente: si quieres entrar al seminario, tienes que sacarte el arete, cortarte la colita, cambiarte esa ropa y luego de eso podremos conversar.

Así que salí, y me fui a conversar con el Señor. De verdad me costó mucho. Sacarme el arete y cortarme la colita, porque sentía que ese era el nuevo yo. Aquel que hizo grandes cambios y era diferente. Al cortarme la colita hasta me salieron algunas lágrimas. Tuve esa colita en mi billetera por muchos años.

Con el arete no tuve problema ni con el vestirme tampoco, ya que hubo un tiempo en el que me vestía con camisa, pantalón de casimir y.

Al decirle a mi familia y a mis amigos que iba a entrar al seminario, la mayoría me daba seis meses, luego de eso juraban que me iba a salir. Mamita era la que más confianza tenía en mí, y decía que en un año ya me salía.

Día a día siento que uno planea algo y Dios lo cambia todo, lo importante es que uno siempre esté disponible, y no aferrarse a nada ni a nadie. Yo quiero mucho a mi familia, pero entendía que Dios me había llevado por diferentes lugares y, al tomar la decisión de entrar al seminario, sabía que tenía que desprenderme.

Conversé en el seminario y me aceptaron para ingresar. Me fui de vacaciones en agosto a Estados Unidos, para luego regresar e ingresar al seminario en Quito.

Pero lo que yo no sabía es que Dios ya tenía otros planes para mí. Cuando me subí al avión y me senté, vi que habían dejado en el asiento mío una revista de *Word Misión*, y dentro de esa revista una propaganda que decía: Ven y verás. Se trataba de una experiencia en México para que uno pudiera discernir su vocación.

La verdad que fue muy raro, nunca me había sucedido eso.

Cuando llegué a New York, llamé a ese teléfono y conversé con el sacerdote. Me dijo que el fin de semana empezaba la misión. Era por quince días. Dijo que nos encontrábamos en México. Entonces le dije que sí.

Me fui a México sin conocer a nadie y fuimos a una misión en Oaxaca, que es una comunidad indígena al sur de México. Yo me decía en mi interior, con español e inglés no voy a tener ningún problema en comunicarme con ellos. Pero no fue así, porque esa comunidad era Chinantleca y no hablaban español, tenían un traductor que nos acompañó para llegar allá. Tuvimos que caminar varias horas por las montañas y cruzar ríos. Para mí era lo máximo, porque era lo que había hecho en el ejército durante los entrenamientos. Ahora estaba haciendo lo mismo, pero para ir a predicar. Mientras antes llevaba en la mochila las balas y cargaba el rifle para matar. Ahora llevaba alimento para compartir con la comunidad, y la biblia y el rosario en la mano con la idea de salvar vidas.

Fue una experiencia excepcional ese tiempo en México. Luego me dijo el sacerdote que me iba a llamar para que ingresara a la comunidad de los Misioneros componíamos en los Ángeles. Me regresé a New York y esperé la llamada. Pero ya tenía que regresarme al Ecuador, para entrar al seminario.

Faltaba una semana y el lunes me llamó el padre de Los Ángeles y me preguntó: ¿qué pasó? Te estamos esperando, pensé que ya te había dicho, tenemos hasta el viernes para inscribirte en la universidad.

Así que decidí irme a Los Ángeles. Los vuelos estaban demasiados caros, pero encontré uno más económico por tren, solo que llegaba el viernes. Así que compré el boleto. Yo estaba en New Jersey, lejos del terminal, y el tren salía a las dos de la tarde de New York. Como en las películas, corrí para coger el tren, luego el bus y llegué al terminal a la una, cincuenta y nueve. Cuando entré, cerraron las puertas.

Sabía que Dios me estaba llevando hacia Los Ángeles. Llegué el viernes por la tarde y el padre me estaba esperando. Llegamos a la universidad quince minutos antes de que cerraran las inscripciones. Hay que recordar que hace casi treinta años no había internet ni toda la tecnología que tenemos ahora. En ese tiempo uno tenía que llevar los documentos y hacer presencia. Así que me quedé sin pensar en la formación que impartían en el sacerdocio en Los Ángeles y ya no regresé al Ecuador.

Fueron dos años que estuve en la primera etapa de formación. Luego de terminar, estaba listo para continuar con filosofía, que debía cursar en Chicago. Me admitieron en la universidad y tenía planeado viajar en verano, pero decidí tomarme las vacaciones y regresé al Ecuador.

Dios siempre me tiene planeado otras cosas. Al estar en Ecuador me llamó mi formador desde Los Ángeles y me dijo que habían salido dos jóvenes que estaban en formación y que ese año se iba a cerrar en Chicago, pero que en Ecuador se iba a abrir la etapa de formación con jóvenes de Colombia. Entonces decidí quedarme en Quito porque lo que realmente quería era la formación y no un lugar específico. Así que una vez más se quedaron todas mis cosas en Estados Unidos: diplomas, títulos, fotos que tenía de la vida militar. Luego todo eso se perdió, y creo que fue para que aprendiera la humildad y sencillez que requiere la vida sacerdotal.

Luego de los dos años de filosofía con la Comunidad Comboniana, sentí que quería ser sacerdote en Quito, porque es más difícil predicar en el país de uno que en el extranjero. A veces a un extranjero lo aprecian más que a un local.

Terminada la filosofía con la Comunidad Comboniana, pasé a la formación de teología, que demoraba cuatro años en el Seminario Mayor San José de Quito, para por fin ordenarme sacerdote diocesano.

En la universidad católica donde estudiábamos, se siguieron cumpliendo los demás sueños que siempre tenía. Completé mi formación religiosa y practiqué muchos deportes, en especial el fútbol. También llegué a ser presidente de la facultad de teología, algo que nunca hubiera pensado ser. Con la selección de fútbol de la facultad llegamos a finales de campeonatos.

Pasaron los siete años de formación sacerdotal y ya estaba listo para ordenarme sacerdote.

En esa conversación que siempre he tenido con Dios, le pedí a Dios que le diera vida y lucidez a mamita, que hacía un año estaba enferma, para que me pudiera ver ordenado sacerdote.

Y como Dios siempre me escucha, mamita, aunque ya estaba viejita y no podía caminar bien, pudo estar en el gran día.

Antes de mi ordenación fui donde ella y le dije: mamita, ya mañana me ordenó de sacerdote, ese sueño que usted siempre tuvo de que alguien de la familia se ordenara, yo voy a ser el primero en cumplirlo.

Mamita dijo que cerrara la puerta para conversar: yo, no quiero que te hagas sacerdote.

Yo me quedé extrañado y le pregunté: ¿cómo dice eso, mamita? Y me dijo: yo no quiero que seas sacerdote por mí, sino por ti. Tú sabes tu vida, las cosas que todavía tienes que seguir cambiando y mejorando, recuerda que uno puede engañar al mundo, pero no puede engañar a Dios. Si piensas que puedes ser un buen sacerdote, está bien, y si no, no hay ningún problema. Recuerda que cuando íbamos a la Iglesia y nos sentábamos atrás y tú mirabas a los sacerdotes, decías: quiero ser como ese sacerdote, alegre, feliz, contento diciendo su sermón. No quiero ser como ese que me hace dormir o aquel que tal vez tiene una doble vida. Tú sabes cómo eres, dijo finalmente, y si en algún momento sientes que no puedes, es mejor que lo dejes a seguir así.

Eso me hizo reflexionar y me fui a la iglesia, en donde me quedé toda la noche.

Me puse en manos del Señor y al siguiente día, muy temprano, llegué a casa.

Y le dije a mamita: sabe que quiero ser sacerdote por mí y no por usted. Sé que por medio de usted Dios me enseñó a conocerle. Siento que estoy enamorado de Dios hasta las patas y por eso quiero ser sacerdote.

Mamita me miró, me dio un abrazo y me dijo: entonces arreglémonos para ir a la catedral.

Ese día de la ordenación, un 29 de julio de 1998, fue maravilloso, porque pude ir con mamita. Ella estaba bien, lúcida. Me dio la bendición y pudimos compartir ese momento tan especial.

Meses después, un domingo, estaba en una parroquia. Mamita fue a la iglesia en donde estaba y yo le dije: mamita, por qué viene si yo los lunes voy a la casa a verla y darle la comunión.

Y me dijo: porque aquí es tu casa y es en donde quiero confesarme y estar en misa.

Así que estuvo allí.

Al siguiente día, muy temprano, me llamaron de la casa y me dijeron que a Mamita le había dado un derrame cerebral mientras se bañaba. Fui al hospital, le di la santa unción y falleció. Ella quiso que yo fuera el que le diera los últimos ritos.

Aunque ese día estaba triste como ser humano, al mismo tiempo estaba tranquilo y en paz, en especial con Dios, porque mantuvo a la mamita viva todo ese tiempo y pudo verme cambiado y feliz.

Aunque mamita partió al cielo, donde se que ella está por todas las cualidades que tenía, aquí en la tierra aún todavía me quedaban dos madres más. Imeldita, mi mamá y quien me dio la vida y quien además me ayudó a cumplir todos mis sueños.

Mujer que nos enseñó el sacrificio de dejarnos a nosotros en buenas manos e irse a Estados Unidos, para que desde ahí poder mantenernos. Mujer a quien reconozco su enorme sacrificio por amor.

Es por eso que digo, es tan necesario en la vida, no solo quedarnos en lo negativo de las personas, sino darnos cuenta, que el sufrimiento también es para ellas, las madres que padecen este gran dolor de dejar a sus hijos y todo ese amor. Y a pesar de ello, van a otras tierras para desde ahí poder enviar el sustento y seguir luchando porque las familias puedan mantenerse y seguir adelante.

Tantas veces, no caemos en la cuenta de cómo tienen que vivir, trabajar, mantenerse y así poder enviar el dinero. Ella, mi mamá, en esa soledad que vivió, se aferró a Dios con un grupo cristiano que le apoyó en todo. Quizá era entendible del por qué no quería que me hiciera sacerdote. Sin embargo, luego de mi ordenación sacerdotal, ella regresó a la Iglesia Católica. Jamás tuvimos que decirle nada. Por sus propios medios y en su corazón de madre, volvió a seguir apoyándome en todo.

Y la otra madre que quedó después que partió mamita y que en sí me adoptó, aunque no legalmente. Pero si con su presencia y tiempo, fue mi tía Jimena. Ella siempre estuvo con nosotros. Ella iba a reuniones de padres de familia, ayudaba en la formación junto con mi mamita. Se preocupaba por nosotros y hacía también que no nos falte nada.

Daba su vida por cuidarnos. Ella nunca se casó y no tuvo hijos naturales, pero nos tuvo a nosotros como hijos. Debo decir, que si no hubiera sido por ella, tampoco hubiera podido ser lo que soy ahora y todavía me sigue acompañando.

De esta manera he podido compartir con ustedes, queridos lectores mi vida, mi historia. Mi "mamita" que era mi abuelita, partió al cielo y su nieto-hijo, por su fe cumplió todos sus sueños y aprendió a discernir el camino de una felicidad verdadera, amparada en el amor a Dios y en el amor al prójimo.

Si tú quieres, puedes. Toma la decisión aquí y ahora.

CONCLUSIÓN

A lo largo de la vida pensamos que no podemos cumplir los sueños por muchas razones. Pero realmente yo creo que nada es imposible en la vida.

He querido escribir esta historia de mi vida para que comprendan que nada es imposible, que solo debemos tener un poco de paciencia. No hay que desesperarnos en tomar decisiones. A veces creemos que ya no se puede, por muchas razones: ya estoy viejo, soy pobre, soy feo, y tantas cosas que nos creamos en nuestras mentes, y eso hace que hagamos muchas cosas de las que luego nos arrepentimos. Eso nos hace no poder cumplir los sueños.

Siento que el peor sentimiento que uno puede tener es la frustración de no haber podido realizar los sueños, los anhelos que uno sentía en su corazón. Ya sea por miedo, por temor o por lo que dirá la gente, la vida a veces nos frustra. Sin embargo, cuando pasan los años, nos damos cuenta de que sí hubiéramos podido lograrlo, pero ahora sí ya es demasiado tarde.

Si yo pude cumplir mis tres sueños, con todas esas dificultades que tuve, sé que ustedes lectores también lo pueden lograr.

Ánimo, confíen en Dios, o en cualquier expresión que de él tengan. Déjense llevar por su corazón y sentimientos, y menos por la mente y la razón, porque estas realmente se equivocan, porque el pensar tanto lo que vamos a hacer puede llevarnos a que al final no lo hagamos. Déjense guiar por las personas que los aman y los quieren, a veces no están de acuerdo con lo que pensamos, pero si obedecemos más y nos dejamos guiar, cometeremos menos errores en la vida.

Hay una poesía que me ayudó mucho en la vida. La primera vez que la leí tenía 18 años y la tuve que escribir en una hoja porque no tenía cámara para tomar fotos y quiero compartir con ustedes esta poesía llamada "Desiderata" de: (Max Ehrmann), que me ayudó en mi vida y comparto para que comprendamos que la vida pone duros retos, pero mientras más valientes somos, los sueños se cumplen en la vida.

A continuación el poema:

"POEMA DESIDERATA"

Camina plácido entre el ruido y la prisa,

y piensa en la paz que se puede encontrar en el silencio.

En cuanto sea posible y sin rendirte,

mantén buenas relaciones con todas las personas.

Enuncia tu verdad de una manera serena y clara,

y escucha a los demás,

incluso al torpe e ignorante,

también ellos tienen su propia historia.

Esquiva a las personas ruidosas y agresivas,

pues son un fastidio para el espíritu.

Si te comparas con los demás,

te volverás vano y amargado,

pues siempre habrá personas más grandes y más pequeñas que tú.

Disfruta de tus éxitos, lo mismo que de tus planes.

Mantén el interés en tu propia carrera,

por humilde que sea,

ella es un verdadero tesoro en el fortuito cambiar de los tiempos.

Sé cauto en tus negocios,

pues el mundo está lleno de engaños.

Más no dejes que esto te vuelva ciego para la virtud que existe,

hay muchas personas que se esfuerzan por alcanzar nobles ideales,

la vida está llena de heroísmo.

Sé sincero contigo mismo, en especial no finjas el afecto,

y no seas cínico en el amor,

pues en medio de todas las arideces y desengaños,

es perenne como la hierba.

Acata dócilmente el consejo de los años,

abandonando con donaire las cosas de la juventud.

Cultiva la firmeza del espíritu

para que te proteja de las adversidades repentinas,

más no te agotes con pensamientos oscuros,

muchos temores nacen de la fatiga y la soledad.

Sobre una sana disciplina,

sé benigno contigo mismo.

Tú eres una criatura del universo,

no menos que las plantas y las estrellas, tienes derecho a existir,

y sea que te resulte claro o no,

indudablemente el universo marcha como debiera.

Por eso debes estar en paz con Dios,

cualquiera que sea tu idea de Él,

y sean cualesquiera tus trabajos y aspiraciones,

conserva la paz con tu alma

en la bulliciosa confusión de la vida.

Aún con todas sus farsas, penalidades y sueños fallidos,

el mundo es todavía hermoso.

Sé cauto.

Esfuérzate por ser feliz."

(Por: Max Ehrmann)

Gracias a cada una de las personas y familias que han pasado por mi vida y que me han hecho ser lo que soy.

Gracias a Dios por guiarme.

Gracias a cada uno de ustedes que han querido leer esta historia y, una vez más, que Dios los ayude a realizarse completamente como seres humanos.

Luis Mejía

Made in the USA
Las Vegas, NV
08 March 2024

86898602R00059